D0774284

# TURQUOISE

*Extraits du catalogue*

## Collection Turquoise

## Turquoise Médaillon

### Turquoise Sortilèges

# ELIZABETH GEOFFROY

# L'AMOUR TEMPLIER

**Turquoise Sortilèges**

**PRESSES DE LA CITÉ**

9797 rue Tolhurst, Montréal H3L 2Z7 - Tél.: 387-7316

© *Presses de la Cité 1981*

ISBN 2-258-00951-0

© *Les Presses de la Cité, Montréal 1982*

ISBN-2-89116-139-4

*A Alain Veinstein*

« Au magasin des accessoires, il n'est de vrai que le masque de notre propre visage. »

# PREMIÈRE PARTIE

# LA VIERGE ET LE DIABLE

# 1

Bien sûr, une éraflure sur la joue laissait apparaître le bois presque blanc sous la peinture. Une phalange de l'index droit était rongée. Mais quelle grâce exquise dans le port de cette tête inclinée, dans ces paupières mi-closes sur la douceur ! Clara se traita de folle. Mais elle aimait sa folie, même si l'achat de cette Vierge polychrome du XII$^e$ siècle grevait sérieusement son budget. Elle avait admiré si souvent cette statue du temps où elle souriait dans la vitrine de l'antiquaire, offerte à la convoitise de tous les passants curieux d'art ! Elle avait tellement eu envie de la posséder, une envie égoïste de collectionneur ! Elle se rappelait encore combien son cœur battait lorsqu'elle s'était enfin décidée à pénétrer dans la galerie pour en demander le prix. Et maintenant elle avait enfin réuni la somme nécessaire, la Vierge était sienne, c'était pour elle que l'antiquaire achevait de l'empaqueter avec des gestes tendres et lents d'amoureux attentif.

— C'est une très belle acquisition, disait-il.

— Oui, souffla-t-elle dans un soupir ravi.

Elle entendait sans écouter, répondait par instinct plus que par réflexion. Elle était tout au plaisir du rêve qui se réalise.

— Heureusement vous m'aviez déjà réglé une avance ! De nombreuses personnes voulaient l'acheter. Un homme surtout. Il est revenu plusieurs fois. Il m'a proposé le triple de sa valeur.

Il eut un petit sourire où perça un léger regret.

— C'est dommage que vous soyez arrivée la première, j'aurais pu faire une belle affaire. Elles se font si rares...

Se pouvait-il que l'on fût à ce point commerçant ! Continuer à surenchérir lorsque la vente est conclue... Clara sourit pour mieux dissimuler les pensées que lui inspirait le petit homme à la voix mielleuse, aux yeux intelligents et pervers. Soudain, elle eut envie d'être dehors, au soleil, à l'air. Elle n'aimait pas cette façon dont il la regardait, la manière dont il gardait les mains sur la Vierge finalement emballée, comme si, par sadisme, il avait voulu retarder l'instant où elle entrerait en possession de l'objet convoité.

— Je vous remercie.

Elle avait à son tour posé ses mains sur le paquet. Mais il ne retira pas les siennes aussitôt. Il y eut encore quelques secondes de confrontation muette avant qu'il ne se résignât à lâcher prise.

— J'espère pouvoir compter sur votre prochaine visite. Lorsque je recevrai une jolie pièce, je me permettrai de vous en avertir.

— Merci. Merci beaucoup.

Elle fit quelques pas en arrière puis se retourna. Il la dépassa et ouvrit la porte, s'inclinant obséquieusement.

— A bientôt, mademoiselle Ilios.

Elle eut la sensation d'un prisonnier recouvrant sa liberté. Elle traversa le square qui ornait la place des Vosges d'un pas alerte et s'engagea dans la rue du Pas-de-la-Mule. Là, elle ralentit l'allure. Un vent léger souleva quelques cheveux châtains ; le nez en l'air, Clara admirait les façades des maisons. Elle ne prêta pas attention à la voiture qui arrivait derrière elle et, lorsque celle-ci s'arrêta à sa hauteur, elle pensa tout naturellement à un automobiliste provincial perdu dans le dédale du Marais.

La portière s'ouvrit, barrant tout passage à la jeune fille. Un homme se jeta littéralement sur elle. Il essayait de lui arracher son paquet des bras. Instinctivement, Clara le serra un peu plus contre elle. Elle poussa un cri.

Deux mains venaient de l'empoigner par les épaules. Un second agresseur s'était joint au premier, l'attaquant par-derrière. Clara comprit soudain qu'ils n'en voulaient pas seulement à la statue mais qu'ils la poussaient brutalement à l'intérieur du véhicule. Elle se mit à se débattre, appelant à l'aide, mais ne parvint qu'à émettre un faible son, aussitôt étouffé par une main qui lui enfonçait un bâillon dans la bouche. Sous le coup de la surprise, elle n'eut pas la présence d'esprit nécessaire pour réagir. En quelques secondes, elle se retrouva plaquée contre le plancher. La voiture démarrait déjà.

Elle renversa sa tête en arrière en apercevant le visage de l'homme qui s'approchait du sien. Il sourit du coin des lèvres et sans un mot lui banda les yeux. La dernière vision qu'elle conserva fut celle de ses yeux bleus, étrangement clairs et limpides.

Combien de temps lui fallut-il pour être de nouveau capable de penser ? Le temps qu'elle s'habituât aux chocs de la circulation qu'elle ressentait douloureusement ? Le temps de revenir de sa stupeur et que celle-ci fît place à la terreur ? C'est par son corps que l'esprit lui revint. Lorsqu'elle cessa d'être ballottée entre la banquette arrière et les sièges de l'avant, elle réalisa soudain qu'ils devaient être sortis de Paris, qu'ils roulaient sur une route... Oui, ce devait être une route. Ils n'allaient pas assez vite pour que ce fût l'autoroute. Elle n'entendait pas cette rumeur continue, comme un sourd grondement, des grandes circulations.

Mais où l'emmenaient-ils ? Ils n'avaient pas prononcé un mot depuis l'enlèvement. Pourquoi l'avaient-ils kidnappée ? Ce ne pouvait être qu'une erreur. Avec son traitement de professeur d'anglais, sa mère n'avait pas assez de fortune pour payer une rançon. Aucun membre de sa famille n'était fortuné. Mais que feraient-ils lorsqu'ils comprendraient qu'ils s'étaient trompés de personne ? Une terrible angoisse étreignit sa gorge. Elle devinait qu'on ne peut discuter avec des gangsters. Leur logique était différente de la sienne. Jamais elle ne pourrait les persuader de son silence, les assurer qu'elle ne soufflerait mot à personne de son aventure.

De toutes ses forces, elle ferma les yeux sous son bandeau. D'étranges lueurs éclatèrent dans ses prunelles aveuglées. Non, elle ne voulait pas mourir! Pas maintenant, alors qu'elle attendait tout de la vie. Pas si bêtement. Pas à cause d'un quiproquo. Dans un éclair de prescience, elle imagina, le ressentant presque, le froid glacé d'un canon de revolver contre sa nuque, le choc violent de la balle que l'on perçoit au moment de la détonation.

Elle roula sur le côté. La voiture venait de virer. L'allure décroissait à chaque tour des roues qui crissaient sur le gravier. Ils n'allaient pas tarder à s'arrêter. Clara entendit le petit claquement caractéristique de la clé de contact coupant le moteur.

On venait d'ouvrir une portière. La fraîcheur de l'air la surprit et lui donna une soudaine énergie et, pour la première fois depuis son rapt, l'envie de se battre. Une main anonyme l'avait aidée à se redresser et à sortir. Il n'y avait aucune brutalité dans ces gestes, plutôt de l'indifférence, celle que l'on éprouve face à une marchandise. Et qu'était-elle d'autre à leurs yeux, la marchandise d'un échange! Lorsqu'elle marqua un temps d'arrêt après ses premiers pas, la main la poussa, juste une pression pour lui intimer d'avancer.

On la guidait sur une allée, puis de marche en marche sur un escalier. La pierre était inégalement polie, creusée par endroits. La demeure devait être ancienne, deux ou trois siècles peut-être. Lorsqu'elle se retrouva à l'intérieur, une odeur typique la frappa : celle des vieilles églises.

— Pourquoi avez-vous amené la fille?

La voix était hautaine, sèche.

— Elle ne voulait pas lâcher la statue. Nous ne pouvions pas courir le risque de nous faire remarquer

14

plus longtemps. Elle allait crier, expliqua une autre voix, empreinte de déférence.

— Pourquoi ne s'être pas débarrassé d'elle en chemin ?

Pour toute réponse, l'homme n'obtint qu'un silence gêné.

— Ignorez-vous qu'aucune femme ne doit pénétrer en ce lieu, à moins qu'elle n'ait été désignée pour le sacrifice ?

Clara saisissait mal le sens de ce dialogue mais elle retint le mot sacrifice. Des images de souffrances primitives et de tortures raffinées lui apparurent. Il lui sembla qu'un liquide glacial avait été injecté dans sa moelle épinière.

— Conduisez-la au cachot !

— Oui, maître, répondirent deux voix.

On l'avait enlevée pour s'emparer de sa statue. On l'avait conduite dans un lieu qui sentait l'église et où aucune femme ne devait pénétrer. Ses ravisseurs appelaient « maître » un homme qui parlait de sacrifice. Cette incohérence n'était pas pour la rassurer. Même si elle ne pouvait s'expliquer avec des gangsters, du moins avait-elle, par les journaux ou la télévision, une vague idée de leur personnalité. Mais, ceux-ci, elle le comprenait, n'étaient pas de vulgaires malfrats. Elle n'avait aucun point de référence.

De nouveau une main la prit par le bras et la guida. Ils s'engagèrent dans un escalier tournant. A chaque pas, Clara s'enfonçait un peu plus dans le désespoir. Une porte grinça sur ses gonds. La main la poussa. Une forte odeur de moisi la fit frémir. On lui ôtait son bâillon, débandait ses yeux. A la lueur d'une torche qui brillait dans le couloir, elle reconnut les traits et le regard limpide de l'homme qui était assis sur la banquette arrière.

— Où suis-je ? balbutia-t-elle. Qui êtes-vous ?

Il ne répondit pas et sortit, refermant derrière lui une

lourde porte de bois bardée de fer. Ce fut l'obscurité totale. L'huisserie joua avec des bruits de gonds sinistres. Dans un réflexe de désespoir, elle se précipita sur la porte et la martela de ses poings.

— Qui êtes-vous ? hurla-t-elle. Que me voulez-vous ? Qu'allez-vous faire de moi ? Qu'allez-vous faire de moi ?

Elle répéta plusieurs fois cette dernière phrase, de plus en plus faiblement, puis se laissa glisser contre le mur. Elle aurait pu sangloter, pleurer sur elle-même, mais elle ne le pouvait pas. Prostrée, la tête contre les genoux, elle se laissait imprégner par l'odeur de moisi. Elle devenait moisissure. Et cette hébétude lui insufflait un calme surprenant dans sa situation.

Le bruit des pas dans l'escalier réveilla son angoisse. De nouveau, les terribles images du sacrifice l'assaillirent. Lorsqu'elle entendit la clé jouer dans la serrure, elle ne bougea pas, comme si elle avait voulu s'ancrer au sol.

La lumière vive de la torche l'aveugla.

— Où l'avez-vous cachée ?

Elle reconnut les intonations hautaines et brutales de celui qu'on appelait « maître ». Sa stature était impressionnante. La flamme donnait des reflets fauves à sa chevelure d'un blond lourd. Elle dessinait les lignes nettes et régulières de ses traits.

— Où l'avez-vous cachée ?

Elle ne comprenait pas de quoi il parlait. Elle le détaillait attentivement. Il évoquait en elle la noblesse altière et barbare des croisés, des aristocrates qui ont le sens de la terre et le goût des conquêtes sanglantes. Il était de ces hommes qui ne s'expriment que dans la violence, sèment et détruisent d'un même geste.

— Inutile de jouer les innocentes. Je saurai vous faire parler.

— Mais que voulez-vous de moi ?

L'espace d'un tremblement de la flamme, l'homme cilla, surpris par le calme et la douceur de la voix de Clara.

— La statuette.

— Quelle statuette ? Vos amis m'ont volé la Vierge que je venais d'acheter.

L'homme ricana :

— Vous êtes une petite sainte, à ce que je vois.

— Pourquoi serais-je une sainte ? Parce que j'ai acheté une Vierge ? Non, l'objet était beau. Ne l'aimez-vous pas aussi, puisque pour le posséder vous n'avez pas hésité à me faire enlever ?

— Nous ne voulions pas vous kidnapper. C'est une erreur regrettable... pour vous surtout.

Clara avala sa salive dans un haut-le-corps.

— Votre Vierge est tout à fait ridicule, pleine de bons sentiments.

Il avait cédé à une ironie cynique. Sa voix redevint normale :

— Alors où est la statuette ?

— Je ne vous comprends pas. Je n'ai acheté qu'une Vierge du XIIᵉ siècle, pas une statuette.

— Que pensez-vous obtenir en niant ?

— Mais je ne nie rien. Je m'évertue à vous répéter la vérité.

Il se tut. A son tour il l'observait de ses yeux bleu sombre. Au début, elle les avait crus noirs.

Elle représentait vraiment ce qu'il avait toujours détesté : une fragilité délicate cachant une volonté inébranlable, une beauté angélique recouvrant la perversité de l'âme féminine, une coquetterie de bon aloi qui fait prendre l'hétaïre pour une madone. Elle était bien une femme, l'ennemie par excellence. Il la haïssait.

— Comment vous appelez-vous ?

— Clara.

Clara ! C'était le comble. Clara, pire que Marie.

— Eh bien, Clara, je vous accorde une nuit pour changer d'avis et avouer.

La douceur de sa voix était lourde de menaces.

— Je n'ai rien à avouer.

Il sortit sans répliquer, la laissant de nouveau dans

l'obscurité. Cette fois, elle demeura les yeux grands ouverts. Elle voulait s'habituer à cette nuit, distinguer les murs de sa prison, comme si elle avait désiré faire connaissance avec le lieu de ses derniers instants. Elle ressentait maintenant ce qu'éprouvent un innocent condamné, un otage impuissant dans la carlingue : le sentiment presque physique de la fragilité de la vie, la volonté de tout retenir de cette vie, même le plus terrible. Elle ne cherchait même pas à savoir quelle était cette statuette pour laquelle il s'obstinait, ni à trouver des arguments pour le convaincre. Elle se préparait.

Une heure, deux ou trois peut-être, s'étaient écoulées depuis la visite du « maître » lorsqu'elle surprit de nouveau des bruits de pas dans l'escalier. Ainsi, il avait changé d'avis : il ne lui accordait même pas une nuit.

Lentement, elle releva son visage mais, au lieu de rencontrer l'éclat métallique des yeux d'ardoise, elle croisa le regard limpide de l'homme qui l'avait conduite au cachot. Il la contempla longuement, puis s'accroupit auprès d'elle, presque souriant. Il était blond, lui aussi, mais d'un blond très pâle marqué de mèches presque blanches.

— Vous ne devriez pas vous entêter.

Il murmurait ces paroles. Clara tressaillit. C'était la première fois qu'on lui parlait gentiment depuis son arrivée. Elle se sentit en confiance. Peut-être lui la croirait-il ! Peut-être convaincrait-il l'autre ! Cette lueur d'espoir la fit sortir de son abattement résigné. Elle posa sa main sur son bras. Il se dégagea aussitôt :

— Vous ne devez pas me toucher. Aucune femme ne doit nous toucher.

— Mais qui êtes-vous ?

— Il ne m'appartient pas de vous le révéler. Je ne suis venu vous voir que pour vous persuader de parler sans que l'on vous y contraigne. Concevez-vous seulement ce que peut être la torture ?

Il avait baissé la voix pour prononcer ce dernier mot. Ses traits s'étaient contractés comme sous le coup d'un souvenir encore douloureux. Cette expression émut Clara.

— Je vous assure que je ne sais rien. J'ignore tout de cette statuette. Il faut me croire.

Il demeura silencieux. Clara le regarda droit dans les yeux.

— J'ai l'impression de vivre un cauchemar, reprit-elle. J'achète une statue chez un antiquaire et soudain on m'enlève. On me conduit dans un lieu inconnu. Tous ceux que je rencontre s'enveloppent de mystère, me parlent d'interdits, me menacent... Et je ne sais même pas ce que l'on me reproche, ce que l'on attend de moi... Je clame la vérité mais on refuse de me croire... Je... Oh !...

Elle étouffa son premier sanglot.

— Avez-vous jamais entendu parler de Baphomet ?

— Ba...

— Baphomet.

Il prononçait ce nom avec une vénération respectueuse.

— Qui est-ce ?

Il se releva.

— Peut-être l'apprendrez-vous bientôt.

# 2

« Vous n'avez pas le droit de me toucher... aucune femme ne doit nous toucher... avez-vous jamais entendu parler de Baphomet ?... »

Clara entendait et réentendait ces phrases. A force de se les répéter, elle commençait à entrevoir la vérité. Une secte... Oui, c'était cela, elle était tombée aux mains d'une secte. Jusqu'à présent, elle avait cru que toutes les sectes vénéraient des divinités orientales et que leurs membres se promenaient dans les rues le crâne rasé et les pieds nus, en agitant des clochettes ou en martelant des tambourins. Ils paraissaient bien inoffensifs, tandis que ceux-ci...

Elle se rappela soudain la discussion qu'elle avait eue un an auparavant avec son amie Caroline. Caroline partageait son appartement. Elle était étudiante en ethnologie. Elle était revenue un soir, après un voyage d'études dans le Berry.

— Pas la peine d'aller au fin fond de l'Afrique pour rencontrer des sorciers !

Clara avait relevé la tête du traité sur les techniques de la peinture étrusque qu'elle était en train de lire.

— Tu veux parler des rebouteux et des sourciers ?

— Mais non, je parle de sorcellerie, d'envoûtement, de mauvais œil, de sort, de phénomènes de possession.

— C'est le Moyen Age, Caroline.

— Inutile de prendre de grands airs sceptiques, mademoiselle Ilios. Redescends de ton nirvâna d'historienne de l'art et contemple la réalité. Les sectes, tu connais ?

— Ari Krishna, Ari Krishna…, avait-elle chantonné.

— Et les Contemplateurs du Diable, l'Eglise Satanique, les Belzébuthiens… jamais entendu parler ?

Caroline s'était embarquée dans un long discours sur la nécessité du Mal, le besoin d'irrationnel, les racines obscures de l'inconscient collectif… Clara était retournée à sa lecture, pensant que les ethnologues, comme les psychiatres, voyaient des fous partout.

Que ce temps lui paraissait loin ! Maintenant, elle avait acquis, au souvenir de cette conversation, la certitude d'être détenue par des adeptes du diable ou de quelque autre démon. Et Caroline, s'était-elle déjà inquiétée de son absence ? Bien sûr, elle ne pourrait imaginer la vérité.

Le diable ! Qui pouvait adorer Satan, sinon des fous ? Et que pouvait-elle espérer de fous ?

A ce moment précis, elle perçut le bruit des pas dans l'escalier. Son oreille s'y était familiarisée. Mais, cette fois, plusieurs personnes se dirigeaient vers son cachot. Elle se leva et alla se plaquer au mur qui faisait face à la porte.

Ses deux ravisseurs apparurent dans l'encadrement de la porte. Ils avaient quitté leurs costumes de ville et revêtu des chasubles blanches. Au centre des chasubles, elle crut reconnaître la forme d'une croix. Mais cela était indistinct, car, au lieu de se dessiner nettement, elle apparaissait comme une ombre, une figure vue par transparence. Elle ne put détailler davantage leur accoutrement. Sans pénétrer dans son cachot, ils lui ordonnèrent de les suivre.

Dans la succession des escaliers et des couloirs voûtés où ils la conduisaient, à la taille des pierres et à leur épaisseur, Clara reconnut une ancienne commanderie de Templiers, probablement construite au début du XIIIe siècle. Elle se retourna vers l'un de ses gardes ; il portait bien la chasuble de l'ordre mais, chose curieuse, elle était tournée à l'envers. C'est pour cela que la grande croix rouge des chevaliers du Temple ne l'avait pas frappée d'emblée !

Cette constatation la fit brusquement sortir de la torpeur dans laquelle elle était plongée depuis son rapt. Sous le coup de la surprise, elle faillit s'exclamer : « Des Templiers au xx$^e$ siècle ! » Elle se contenta de marquer un léger temps d'arrêt. Du regard, l'homme aux yeux limpides lui fit signe d'avancer. Ils s'engagèrent dans un escalier étroit. Clara commençait à avoir le vertige lorsqu'ils parvinrent à une loge percée d'un œil-de-bœuf.

Un instant, Clara oublia tout. L'historienne de l'art venait de découvrir la nef magnifique d'une chapelle gothique. Dans la lumière des cierges, les fins piliers s'enlevaient, irréels. On avait peine à croire qu'une telle fragilité de la ligne pût soutenir l'imposant édifice. Le chant d'un chœur d'hommes la tira de sa contemplation. Bientôt elle aperçut les premiers membres de l'assemblée. Elle reconnut, marchant en tête, celui qu'ils appelaient « maître ».

Il s'arrêta face à l'autel. C'est alors qu'elle remarqua que le crucifix qui l'ornait était renversé, la tête en bas. Il en allait de même pour le calice et le ciboire.

Le « maître » ouvrit les bras. Un des Templiers se détacha du groupe qui s'était partagé en bon ordre de part et d'autre de l'allée centrale. Les chants cessèrent. Le Templier s'approcha du tabernacle. Il en sortit ce qui de loin semblait être un reliquaire et le remit cérémonieusement au « maître ». Ce dernier fit face à l'assemblée des chevaliers et l'éleva au-dessus de sa tête. Dans le silence lourd de l'attente, Clara, comme les autres, retenait son souffle.

— Que ton règne arrive ! s'écria le « maître » d'une voix forte et grave.

— Que ton règne arrive ! répétèrent à voix basse les chevaliers.

Prise par l'atmosphère de l'étrange cérémonie, la jeune fille avait failli les imiter. Le « maître » déposa le reliquaire sur l'autel et, brusquement, du tranchant de la main, renversa le crucifix. Il attendit que l'écho de cette chute se fût perdu et éteint vers les arcs de la croisée d'ogives. Clara s'était raidie à ce geste sacrilège. Elle frémit lorsqu'elle aperçut l'horrible figure que les battants ouverts du reliquaire venaient de découvrir.

« Baphomet ! » pensa-t-elle à la vue des petites jambes torses achevées par des sabots, du torse énorme et des bras malingres aux mains crochues.

La tête, taillée dans de l'ébène, évoquait un mufle animal mais les cornes qui la surmontaient n'étaient pas celles d'un taureau ou d'un buffle. C'étaient celles du diable.

Le « maître » retourna le calice et le remplit de vin.

— Ceci est le sang abhorré.

Il le répandit sur les dalles de l'église, au pied de l'autel. D'où elle était, Clara devinait l'éclat métallique des yeux, cette lueur tout à la fois de jubilation et de puissance. Elle le regardait élever l'hostie et, malgré elle, elle était comme hypnotisée par la présence de cet homme.

— Ceci est le corps qu'il faut détruire.

Les résonances de la voix accéléraient les battements de son cœur. Il y avait quelque chose de grandiose dans ce rite sacrilège, qui tenait à la personnalité de celui qui le célébrait.

L'éclair d'une dague, et l'hostie fut transpercée. Bien que peu pratiquante, Clara ne put s'empêcher de baisser les paupières. Un bruit de pas lui fit rouvrir les yeux. Le Templier qui avait apporté le « reliquaire » tendait une corde au « maître ». Avec componction, il en effleura la figurine de l'idole.

Au premier rang, l'un des chevaliers avait ôté sa chasuble. Il était nu jusqu'à la taille. Clara redoutait ce qui allait arriver et pourtant elle observait le moindre geste de l'homme. Sa marche lente de supplicié jusqu'à l'autel, la façon dont il s'agenouillait devant le « maître ». Celui-ci tendit la corde à bout de bras.

— Renonces-tu au Christ et à l'Eglise ? Jures-tu de te plier aveuglément à la règle de notre ordre et d'obéir à son autorité suprême que j'incarne ?

— Je renonce au Christ et à l'Eglise. Je jure de me plier aveuglément à la règle de notre ordre et d'obéir à l'autorité suprême que vous incarnez, répéta l'autre d'une voix sourde.

Le « maître » lui ordonna de se relever. Il ceignit ses reins de la corde.

— Ta vie désormais ne sera consacrée qu'à la gloire de Baphomet. Par ces vœux, tu es des nôtres, chevalier du Temple noir.

Le nouveau chevalier regagna sa place. Un autre se détacha du rang et la cérémonie d'intronisation se répéta.

Le Temple noir ! Ainsi, elle savait dans quelles mains elle était tombée. Le fameux Temple noir, secte cachée du Temple, qui causa la perte de l'ordre. Les Templiers avaient été torturés, brûlés, dispersés, mais eux, les véritables coupables, avaient survécu. De siècle en siècle, ils s'étaient transmis leur croyance, leur rite. De quelle volonté implacable n'avaient-ils pas fait preuve pour se maintenir ainsi, secrètement ? Cette volonté, elle les animerait lorsqu'ils décideraient de son sort. Clara sut que leur décision serait irrévocable. Soudain, elle cessa d'être fascinée par la sinistre cérémonie. Elle comprenait ce qui l'attendait. Elle en avait une conscience aiguë qui provoqua en elle une réaction de peur qui avoisinait la folie.

Il fallait à tout prix qu'elle leur échappât. Mais comment ? Plusieurs mètres en dessous d'elle, le « maître » intronisait le dernier chevalier. Leur échapper ? Il n'y avait qu'une solution : se précipiter dans le vide. Cela serait si rapide que ses deux gardes n'auraient pas le temps de la retenir. Mourir pour mourir, mieux valait que ce ne fût pas sous la torture.

Elle ne voyait plus l'assemblée, n'entendait plus les vœux répétés. Elle fixait un point précis du dallage, se sentant déjà attirée par lui, quand, soudain, elle tressaillit. Ceux du second rang s'étaient glissés près des nouveaux chevaliers. Clara se détourna précipitamment. Des gémissements s'élevèrent. Elle leva les yeux vers ce gardien qui avait semblé lui manifester quelque sympathie, mais elle ne parvint pas à capter son regard. Il observait la scène sans ciller, tandis que les gémissements devenaient des halètements de plus en plus précipités. Seul un muscle de sa joue se contracta. La jeune fille se demanda jusqu'à quel point il n'avait pas été contraint d'entrer dans cet ordre sacrilège.

Ressentit-elle de la pitié pour cet homme ? L'écœurement vainquit-il provisoirement sa peur ? Mais une flambée de haine l'anima soudain et, tout aussi brusquement qu'elle s'était détournée, elle se retourna et regarda le « maître ». Hautain, supérieur, il semblait jouir du spectacle.

— Quel ignoble personnage ! siffla-t-elle, méprisante.


De temps à autre, sa tête tombait sur ses genoux. Vaincue par la fatigue et l'émotion, Clara s'assoupissait dans le cachot où on l'avait ramenée. Mais à peine l'engourdissement du sommeil s'emparait-il d'elle qu'il lui semblait qu'une main la secouait ; elle se réveillait alors en sursaut, revivant dans un cauchemar l'horrible cérémonie.

Avait-elle fini par s'endormir ? Rêvait-elle que le « maître » l'interpellait ?

— Levez-vous et répondez-moi.

Elle faisait signe que non. Une poigne de fer étreignit son bras. Elle cria sous l'effet de la douleur. Non, elle ne rêvait pas.

— La nuit est achevée. Avez-vous réfléchi ?

— Comment aurais-je pu penser à autre chose qu'à votre « cérémonie » ?

— Vous ne pouvez plus nier, désormais. Où est la statuette ?

Clara le fixa intensément de ses yeux de miel. Cet homme lui faisait horreur. Il avait le visage illuminé d'un fanatique. Et cependant, elle n'avait plus peur. Elle voulait lui tenir tête, peut-être précisément à cause de cette horreur qu'il lui inspirait. Tout se passait comme si, face à la bête sauvage, la douce Clara avait découvert de nouvelles forces.

— Décidément, répliqua-t-elle, cette statuette est votre idée fixe. Mais si vous m'expliquiez d'abord de quoi il s'agit, qui sait si je pourrais vous éclairer...

— Si vous cherchez à gagner du temps...

Elle l'interrompit avec un petit sourire :

— Je sais pertinemment que je n'ai plus de temps à gagner ou à perdre. Mon sort est déjà réglé, n'est-ce pas ?

Il balaya la question d'un geste vague. Mais quelque chose avait changé dans sa physionomie. Un éclat plus clair dans ses yeux métalliques, un léger frémissement au coin des lèvres qu'il n'avait pu réprimer... presque rien, mais un rien qu'une femme ne pouvait ignorer.

— Non, je ne cherche pas à gagner du temps, monsieur... Monsieur comment ? Je ne crois pas que vous vous soyez présenté, à moins que je n'aie oublié.

Etrange discours de salon dans ce cachot d'une ancienne commanderie... Clara en avait conscience. Mais ces petites phrases mondaines lui permettaient de retrouver le contrôle d'elle-même.

— Ici chacun m'appelle « maître ».

Il semblait offusqué par l'impertinence de la question.

— Je sais, « maître » de l'ordre du Temple noir. Mais je ne suis pas l'un de vos chevaliers, pas plus que votre esclave et cela me gêne de vous parler sans vous nommer.

Il esquissa un sourire ironique puis de nouveau ses traits se durcirent.

— Enguerrand d'Ermont, grand-maître de l'ordre du

Temple noir, déclina-t-il, relevant la tête un peu plus haut que d'ordinaire, là où d'autres se seraient inclinés.

— Enguerrand..., murmura-t-elle comme pour elle-même, et elle poursuivit sur le même ton : Pouvait-on mieux choisir pour de telles fonctions ?

Sa main claqua, sèche, sur sa cuisse, comme s'il eût été armé d'une badine.

— Vous ne m'égarerez pas dans vos minauderies. La statuette ?

— Bien sûr, la statuette. Monsieur d'Ermont, si vous étiez plus explicite, je saurais au moins pourquoi je vais endurer la torture et achever ma courte vie dans ces lieux.

Elle avait l'air sincère. Enguerrand se méfiait des femmes, il avait appris à se garder de leur duplicité depuis ce jour... Sa mâchoire se contracta. Ses yeux prirent leur teinte d'ardoise sous l'orage. Mais cette jeune fille avait une telle façon de le regarder ! Elle l'observait avec cette patience infinie que l'on a envers un enfant rétif dont on sait que bientôt il se calmera. Non, il ne devait pas se laisser émouvoir. C'était encore une de ces feintes de ce sexe. Malgré tout, il accéda à sa demande :

— La cérémonie d'hier aurait dû vous éclairer.

Elle revit les hommes dénudés, ceints de la corde. La corde ! Celle dont on effleurait l'ignoble figurine.

— Vous voulez parler de... (Elle hésita et malgré elle baissa la voix.)... de Baphomet.

— Enfin ! soupira-t-il, satisfait.

— Mais la statuette se trouve dans la chapelle !

Elle avait presque crié cette dernière phrase, l'exclamation de la sincérité. Enguerrand la considéra longuement, réfléchissant sur le parti à prendre. Il se décida.

— Suivez-moi, ordonna-t-il.

Inutile d'avoir la moindre idée de fuite. Clara s'efforçait de marcher la tête haute, le pas assuré.

« Les dernières manifestations de ma dignité », pensait-elle.

28

Elle ne se faisait pas la moindre illusion sur le lieu où il la conduisait : la chambre des tortures, remplie d'instruments barbares hérités, comme les règles de l'ordre, du Moyen Age. Et elle n'était même pas éclairée sur la raison de son enlèvement. La réponse d'Enguerrand d'Ermont la faisait chavirer de l'incompréhension dans l'absurde. Depuis la veille, il s'évertuait à lui demander où se trouvait une effigie dont il connaissait parfaitement l'emplacement.

Elle eut une brusque intuition. Et si cette question était une phrase codée ? S'il la soupçonnait d'avoir surpris l'un de leurs secrets ? Jouer cette carte ? Elle continua d'avancer, apparemment calme, notant le moindre détail des couloirs qu'ils empruntaient. Incongrûment, elle se rappela son étonnement face à l'héroïsme d'hommes qui s'apprêtaient à mourir. Ce n'était pas si difficile de faire figure de héros ! Devinait-il, le fier Enguerrand, qu'à cet instant son cœur cognait dans sa poitrine, que ses jambes à chaque pas voulaient se dérober ?

Il poussa une porte.

— Entrez.

Elle hésita sur le seuil. Pas la moindre pince, pas une seule chaîne. Elle découvrait une pièce austère comme une cellule de moine mais de proportions plus vastes. Elle n'était meublée que d'une longue table brune et un pupitre. Au centre de la table, la tête gracieusement inclinée, sa Vierge souriait, triste et tendre.

Un homme leur tournait le dos. Elle le reconnut aussitôt aux mèches presque blanches de ses cheveux blonds.

— Laisse-nous, Guillaume.

Ses yeux si clairs croisèrent ceux de Clara. Comme la veille, elle essaya d'y deviner un sentiment mais ne rencontra que la profondeur de leur limpidité.

— Oui, « maître ».

Enguerrand referma la porte et lui fit signe de s'approcher de la statue.

— Ne remarquez-vous rien ? demanda-t-il.

Clara haussa les épaules.

Il renversa la Vierge et introduisit la pointe d'un stylet dans ce qui semblait être un éclat du bois. Lentement le socle pivota, séparant les pieds de la Vierge du reste du corps.

— Oh !

L'intérieur de la statue était creux.

— Comprenez-vous maintenant ?

— Je comprends que cette vierge pouvait servir à dissimuler un autre objet mais... Elle haussa le ton : Je vous jure que je l'ignorais jusqu'à cet instant.

— Soit, agréa-t-il pour couper court à de nouvelles discussions. Puisque vous êtes perspicace, que contenait cette cavité ?

Elle hésita, craignant que sa réponse n'équivaille à sa sentence.

— Baphomet.

Elle était à peine audible.

— C'est exact.

— Mais pourquoi me demander ce que j'en ai fait, puisque vous l'avez trouvé ?

— Je n'ai rien trouvé. Ce que vous avez vu hier n'est qu'une copie.

# 3

Il avait repoussé le socle. De nouveau, la Vierge se dressait sur la longue table. Il s'y appuya. Ses larges épaules s'étaient légèrement affaissées. Singulièrement, cette attitude lui conférait plus de puissance encore, cette puissance des grands hommes qu'accablent parfois la trop grande charge de leur pouvoir et de leurs responsabilités mais qui, contrairement aux êtres communs, puisent dans l'adversité plus de force encore. Enguerrand d'Ermont, à sa manière, était un grand homme, même s'il avait choisi l'ombre et le mal pour régner.

Brusquement, il fit volte-face. D'un coup il s'était redressé.

— Assez tergiversé. Où est l'original?

— Mais je l'ignore, s'exclama Clara, dont l'exaspération frôlait la crise de nerfs.

— Comment avez-vous deviné ce que recelait la cache secrète?

— Vous l'avez vous-même dit, je suis perspicace.

— A d'autres, ma petite!

Il avait saisi son poignet et commençait à lui imprimer une lente torsion.

— Aïe, lâchez-moi!

— Voilà cinq siècles que l'on nous a dérobé cette effigie sculptée dans le bois de la croix. Cinq siècles que les Templiers noirs la recherchent et qu'elle leur échappe. Sans elle, nous ne pouvons pas réellement asseoir notre puissance. Ne pensez pas que je vais me laisser prendre à vos mines d'innocence, alors que nous sommes si près du but !

Il l'attira jusqu'à la table. Il semblait possédé.

— J'aurais dû me méfier. Tout cela est ma faute. Pourquoi avoir joué les collectionneurs passionnés auprès de cet antiquaire imbécile ? Si nous l'avions volée alors qu'elle était encore en sa possession, aujourd'hui nous pourrions enfin révérer notre véritable dieu.

— Et si vous vous étiez trompé ? hasarda Clara. Si cette Vierge n'avait jamais contenu la statuette...

La pression de ses doigts s'accentua sur son frêle poignet.

— Impossible ! Le Temple noir ne se trompe jamais. Tous les renseignements que nous avons obtenus concordent.

— Alors, peut-être Baphomet se trouve-t-il encore chez l'antiquaire, prêt à être vendu ?

L'argument dont elle venait d'user lui répugnait. En laissant supposer cela, elle mettait l'antiquaire en péril. L'homme avait beau être antipathique elle ne désirait pas pour autant qu'il fût la victime de l'ordre.

— Habile ! Mais là aussi nous nous sommes renseignés.

D'un geste brutal, il lui tordit le bras derrière son dos. Clara blêmit sous la douleur.

— Vous êtes vraiment très forte. Je me demande comment, en dépit de notre filature depuis votre sortie de la galerie, vous avez réussi à subtiliser l'objet.

— Très simple, balbutia-t-elle, les yeux emplis de larmes. Je ne l'ai pas subtilisé.

— Très forte et très courageuse !

Il ramena son bras un peu plus vers son épaule. Clara se mordit les lèvres. Elle ne voulait pas offrir à cet homme le plaisir de sa souffrance.

— Pour montrer autant de fermeté et d'obstination, il faut que vous soyez animée d'une foi singulière.

Il avait dit cela comme une réflexion que l'on se fait à

voix haute. Il la fixa droit dans les yeux. Clara ne put soutenir le regard du « maître ».

— A quelle secte, à quel ordre appartenez-vous ?
— Aucun, souffla-t-elle.
— Avouez qu'un de vos comparses vous attendait dans le square de la place des Vosges. C'est là que vous lui avez remis la statuette, feignant de bousculer un quelconque passant. Avouez !

Clara fléchit les genoux, mais il la tenait fermement. Elle ne put toucher le sol. L'élancement qui parcourut son bras fut tel qu'elle crut qu'il lui avait démis l'épaule.

— Laissez-moi, je vous en prie, laissez-moi, gémit-elle.

Il la lâcha. Elle s'affaissa. Elle était à ses pieds, soulagée et furieuse tout à la fois de s'humilier ainsi. Contre toute attente, il se pencha pour la relever. Dans un sursaut de fierté, Clara se dégagea. Elle recula d'un pas et, faisant appel à toute sa volonté, releva la tête. Un rapide sourire éclaira le visage d'Enguerrand. On n'aurait su dire s'il exprimait l'ironie ou une certaine admiration.

— Vous ne pouvez nous échapper, alors montrez-vous raisonnable, Clara.

Sa voix s'était adoucie. Après les menaces il essayait de l'amadouer. Il l'appelait Clara, et comme il prononçait son nom ! Jamais on ne l'avait prononcé ainsi, en allongeant chaque voyelle, en murmurant presque la dernière syllabe. Pas même sa mère du temps où elle l'attirait sur ses genoux pour la consoler, pas même Patrick au temps où ils croyaient s'aimer. Et que c'était terrible et dérisoire que ce fût son bourreau qui trouvât cette intonation longtemps rêvée.

— Ilios, n'est-ce pas votre nom de famille ?

Surprise par cette question, elle fit oui de la tête.

— Vous êtes d'origine grecque ?

Un cavalier galant ne l'aurait pas interrogée d'une autre façon.

— Mon père est né à Chypre.

— Chypre, répéta-t-il. C'est une très belle île. Une île où les pierres blanches ont une odeur de sang. Un joyau de guerre dans la Méditerranée. Et n'est-ce pas le sort de tout ce qui est beau que de mourir d'être trop convoité ? Qui n'a pas désiré Chypre ? Les Gênois, les Vénitiens, les Arabes, les Turcs, les Grecs et...

Il s'interrompit. Clara cherchait à saisir la raison de ce brusque changement d'humeur. Elle regardait cet homme sans comprendre. Il célébrait de monstrueuses cérémonies avec le visage d'un souverain illuminé de sa splendeur, il était brutal, cynique, et, soudain, il se montrait lyrique.

— Êtes-vous déjà allée à Chypre ? demanda-t-il.

Il paraissait songeur, comme un homme qui se rappelle un souvenir très doux.

— Une fois, répondit-elle.

Elle baissa instinctivement la voix.

— C'était pour l'enterrement de mon père. Il avait vécu plus de vingt ans en France mais il voulait reposer dans la terre de ses ancêtres.

— Pardonnez-moi. Ce dut être une terrible épreuve.

Clara se tut. Elle n'avait pas envie de raconter. Elle n'avait jamais voulu évoquer ces instants même avec sa mère, même avec ses amis les plus chers alors que la peine devenait si forte qu'elle aurait tant aimé s'en décharger d'un jet, comme un abcès qui crève brusquement. Mais voilà, les images demeuraient, cernant son cœur. Elles se coinçaient dans sa gorge, l'étranglant alors qu'elle aurait voulu les crier. Comme s'il avait deviné, Enguerrand d'Ermont murmura doucement. On aurait cru un conteur très ancien qui s'échauffe au prologue d'une épopée.

— Les femmes en noir qui se lamentent. Une longue plainte venue du fond des âges. Puis une première pousse un cri. C'est tout le déchirement de la mort, l'arrachement définitif. Et les autres suivent. C'est à celle qui pleurera plus fort, qui exprimera le plus violemment sa douleur. Mais malgré tout le ciel est bleu, les maisons blanches. Comment y croire ? Elles en font trop. Pourtant il suffit de regarder le visage grave des hommes, et alors...

— Comment savez-vous tout cela ?

Il ne lui répondit pas. Il fixait un point au-delà de la pièce monacale.

— Ilios, cela signifie bien le soleil.

— Oui, c'est la prononciation moderne du grec ancien *helios*.

— Chypre... Le soleil...

Quel poème allait-il inventer sur ces deux mots ?

— Oui, qui n'a pas désiré Chypre ? Les Turcs, les Grecs, les Templiers aussi. Ilios, le soleil, rappelez-vous, Clara, l'enterrement de votre père. Un homme s'est approché de vous...

Stupéfaite par la clairvoyance d'Enguerrand, Clara répondit comme dans un rêve :

— Oui, mon oncle Nicolas, le frère de mon père !

— Et que vous a-t-il dit ?

Clara revoyait la maison où son père avait grandi à Nicosie. Les femmes essuyant leurs dernières larmes tout en dressant la table du repas funéraire. Sa mère se tenait un peu en retrait, si blonde, si menue et tellement froide et retenue parmi ses tantes, ses cousines par alliance. C'est à ce moment-là que l'oncle Nicolas l'avait prise par le bras. Il ressemblait tellement à son père qu'elle en avait frémi.

« Tu dois continuer l'œuvre de ton père, Clara. Yannis rêvait d'avoir un fils qui lui succéderait. Je sais que ces paroles ne sont pas de chez nous. Mais tu vis ailleurs, alors tu la poursuivras comme si tu étais un homme. »

— Quelle était cette œuvre, Clara ?

— La grande encyclopédie de l'art byzantin.

Enguerrand d'Ermont eut un haut-le-corps et se raidit. Il paraissait encore plus grand. Ses yeux s'étaient brusquement assombris. A la contraction de son visage, Clara comprit que le temps du lyrisme était passé.

— Vous mentez ! hurla-t-il.

— Comment pouvez-vous croire que je mentirais sur ce qui m'est le plus cher.

Elle s'exprimait comme lui, à la limite de ses cordes vocales.

— Vous mentez. Les Templiers se sont installés à Chypre et votre père descend d'un de ces moines-guerriers défroqués. Votre patronyme parle à lui tout seul. Ilios, le soleil, quel joli prête-nom pour un homme qui ne peut oublier qu'il a combattu pour la sauvegarde des lieux saints mais qui est contraint à se cacher. Ilios ! Le Templier a fait souche dans l'île mais il a transmis sa foi et sa mission à ses descendants. De père en fils, de génération en génération, ils n'ont pas oublié les paroles de l'ancêtre. Ils l'ont vénéré. Ils ont poursuivi leur but en secret à la manière de ces marranes d'Espagne. Leur but : se venger du Temple noir ! Venger ce saint Jacques de Molay ! Et c'est pour cela que votre père est venu en France. C'est son œuvre de neutralisation du Temple noir que votre oncle vous a demandée de poursuivre. Avouez-le !

— Vous délirez.

Il ne tint pas compte de sa remarque. Il avançait, menaçant, vers elle.

— Je savais bien que pour faire preuve de tant d'obstination et de courage il vous fallait être animée d'une foi ardente. Je m'étonnais seulement qu'elle habitât une femme. Mais tout s'éclaire maintenant. A qui avez-vous remis la statue de Baphomet ?

Clara fit un pas de côté, mais trop tard. Le « maître » de l'ordre du Temple noir l'avait saisie par les épaules.

— Un nom, Clara, juste un nom et j'userai de mon pouvoir pour que vous ayez la vie sauve.

Un nom. Seulement un nom. Elle aurait pu en trouver des centaines. Mais elle refusa de se sauver en détruisant un autre. Elle baissa les yeux.

— Il n'y a qu'un nom, le mien. Il n'y a qu'une vérité, mon innocence, souffla-t-elle.

— Vous l'aurez voulu.

Ces trois mots la transpercèrent. Elle en comprenait toutes les conséquences. Et soudain ses forces l'abandonnèrent. Elle avait peur, peur de souffrir, peur de mourir.

— Un nom, répéta-t-il.

C'était fou. Est-ce que sa vie n'en valait pas une autre ? Puis elle se dit que, même si elle citait un nom au hasard, ils la tueraient quand même. Alors elle fit encore non de la tête. Il lâcha son emprise, doucement, comme un fauve qui laisse retomber sa proie morte.

— Guillaume, appela-t-il.

La porte s'ouvrit. L'homme aux yeux limpides apparut. Ils échangèrent un signe d'intelligence, et ce fut tout.

Clara retraversait des dédales de couloirs, descendait et montait des escaliers. Comme ils arrivaient à une porte bardée de fer comme celle de sa cellule, elle demanda :

— Qu'allez-vous me faire ?

— Vous obliger à parler.

Cela, elle le savait bien. Mais elle voulait connaître leurs procédés pour mieux s'y préparer. Elle s'adressa au jeune homme, comme si elle avait abattu son dernier atout.

— Guillaume !

Il lui sembla qu'il avait réagi à l'emploi de ce nom propre.

— Guillaume, répéta-t-elle plus doucement, avez-vous déjà assisté à de telles scènes ?

Un muscle joua sur sa joue, comme la veille au cours de l'intronisation des nouveaux chevaliers. Quel souvenir cachait ce raidissement de la face ?

— Il est toujours temps d'y échapper.

— Mais comment ?

— En avouant.

— J'ai tout avoué.

Il frappa trois coups lents contre le bois lourd de la

porte. Celle-ci grinça lentement sur ses gonds de cuir. Avant qu'elle n'ait pu réagir, une main la happa. Le choc sourd de la porte résonna derrière elle. Elle était seule dans une geôle étroite. Un Templier revêtu de sa chasuble lui faisait face, le visage fermé.

Clara essaya de se concentrer sur la moindre aspérité des murs qui l'entouraient, mais ils ne pouvaient retenir son attention. Lentement, elle s'assit sur un tabouret rudimentaire et, peu à peu, son esprit s'évada. Il s'en allait vers l'appartement où Caroline, en se réveillant, avait dû préparer le café. Chère Caroline, si maternelle sous ses airs de garçon manqué ! Elle avait coupé le pain, l'avait fait griller. C'est toujours cette odeur qui la réveillait. Mais ce matin, elle manquait à l'appel. Elle voyait Caroline frappant à la porte de sa chambre.

— Debout, paresseuse !

Pas de réponse. Doucement, elle avait fait jouer la poignée. Le lit intact. Sa couverture de patchwork bien tendue sur l'oreiller. Elle entendait Caroline.

— Ben, sainte Nitouche, tu me le revaudras !

Sa mère, avec son petit air triste et las, avait dû ranger ses dossiers, glisser dans sa serviette ceux des cours de ce jour. Elle avait envie d'appeler Clara. Mais à quoi bon ! Cela coûte cher, un appel de province. Et puis, que lui dirait-elle ? Que la maison était vide ? Elle le savait. Non, il ne fallait pas ennuyer Clara. Elle avait sa vie, sa jeunesse, ses amis. Et Angèle avait mis le contact de sa vieille 2 CV, en route pour le lycée de Lorient. Clara savait exactement à quoi pensait sa mère. Elle était partagée entre le désir de rencontrer un pylône fatal et celui de vivre pour que sa fille continuât à sourire. Et dans ce désir hésitant d'une minute à l'autre, elle revoyait Yannis avec son accent si touchant, sa chevelure brune et ses yeux d'ambre dorée, puis elle l'imaginait raide, froid dans son linceul, reposant dans cette terre étrangère qu'elle ne pouvait même pas fleurir.

Et son père, avec ses grands éclats de rire même au plus profond du désespoir, à tel point qu'elle ne l'avait pas cru vraiment malade. Son père et l'oncle Nicolas.

— Tu poursuivras son œuvre.

A cette évocation, elle faillit se lever de son tabouret. Mais quel accent devait-elle trouver pour les convaincre de la réalité ? Elle sursauta. Le Templier s'était dressé. Plongée dans ses souvenirs, elle n'avait pas remarqué l'autre porte ni entendu les coups frappés.

Solennel, l'homme lui fit signe de pénétrer dans la seconde salle. Elle ne vit que la table de ses juges. Ils étaient sept. Au centre, présidait Enguerrand. Il avait le visage du « maître », fermé, dédaigneux. Lorsqu'on la poussa, elle aperçut enfin ce qu'elle n'avait qu'imaginé. Les anneaux scellés dans le mur. La roue au centre de la salle. L'horrible chaise à brodequins.

— Clara Ilios, avancez-vous, ordonna Enguerrand.

Elle obéit, défaillante.

— Clara Ilios, ici présente, est coupable d'appartenir à l'ordre du Temple ou du moins d'agir sur son ordre. Elle a acquis et dissimulé la statue de Baphomet, notre maître. Elle a dérobé cette statue sacrée et l'a remise à une tierce personne. Cependant, malgré nos injonctions répétées, elle n'a rien voulu révéler et a toujours nié. Aussi, afin de la confondre et dans l'intérêt supérieur de notre ordre, pour sa plus grande gloire, avons-nous décidé de la soumettre à la confession.

La confession. Oh, le joli nom ! C'était cela leur conception de la confession ! Comme pour leurs chasubles, les Templiers noirs inversaient tout.

« Je suis au royaume des Ténèbres, face au prince de l'Enfer », pensa-t-elle.

Et elle ne quittait pas ce « prince » des yeux. C'était comme un défi de la pureté et de l'absolu au mal incarné, la promesse d'une victoire dépassant cet instant. Un homme s'approcha d'elle et la tira vers la chaise à brodequins. Elle se laissa faire mais ne cessa de regarder Enguerrand.

Le Templier qui faisait office de bourreau plaça les pièces de bois qui devaient briser lentement ses jambes. Il glissa un premier coin contre son genou droit et leva son maillet pour l'enfoncer. Clara retint sa respiration et se raidit pour mieux supporter le choc.

Enguerrand baissa légèrement les yeux. Etait-ce une illusion ou bien avait-il vraiment cédé à ce regard silencieux qui l'accusait ? Le bourreau rectifia l'angle du coin.

— Arrêtez ! ordonna le « maître ».

# 4

Le visage de Clara demeura impassible. En revanche, on pouvait deviner sur toutes les lèvres des six Templiers une même question muette, qu'aucun n'osait formuler.

Pendant quelques secondes, Enguerrand et la jeune fille se regardèrent. Quelque chose avait changé dans leur expression. Ce n'était plus ni l'inimitié ni le défi, pas davantage le mépris ou la volonté de soumettre l'autre. Une sorte d'indifférence, plutôt. Mais ces deux êtres pouvaient-ils être indifférents l'un à l'autre ? Non, ils semblaient s'interroger mutuellement, d'une question calme qui touchait aux profondeurs de leurs âmes sans qu'ils s'en doutent réellement.

— Faites-la sortir !

La voix d'Enguerrand d'Ermont était lente et grave. Pour la première fois depuis qu'elle l'avait rencontré, Clara pensa que le « maître » tenait en partie son autorité de cette capacité qu'il avait de moduler sa voix dans tous les tons. Comme la porte de la salle se refermait derrière elle, elle se rappela la manière singulière qu'il avait de prononcer son nom, Clara, comme une caresse. Elle se défendit contre l'idée qui lui vint aussitôt à l'esprit. Un instant, elle s'était dit que, si Enguerrand n'avait été le « maître » du Temple noir, il aurait été le genre d'homme capable de la séduire.

En dépit de l'épaisse porte qui la séparait de la salle, elle pouvait suivre, dans ses moindres détails, la conversation qui s'était engagée.

— « Maître », j'avoue ne pas vous comprendre, disait Guillaume.

— N'aviez-vous pas pris vous-même la décision de lui extirper la vérité ? renchérissait une autre voix.

— Eclairez-nous sur votre volonté, « maître », enchaîna un troisième.

— Depuis un mois, nous vivons dans l'attente et, alors que nous semblons si près de réussir, vous évitez la torture à cette femme...

— Est-ce une manœuvre pour mettre ses nerfs à l'épreuve ?

Un silence pesant suivit ces questions. La voix d'Enguerrand s'éleva :

— N'avez-vous rien à dire, Geoffroy ?

— Je suis surpris mais j'ai confiance en vos décisions, répondit le sixième Templier.

Au bruit de pas, Clara devina qu'Enguerrand s'était levé.

— Vous êtes surpris et je le conçois aisément.

Elle l'imaginait, debout face aux six, les dominant de sa haute stature, son visage aux traits nets et réguliers un peu relevé.

— Surpris, je l'ai moi-même été, poursuivit-il. Ce fut comme... une révélation. Une brusque lumière. La certitude qu'elle disait vrai. Si étrange que cela puisse paraître, je ne crois plus qu'elle ait entendu parler de Baphomet avant d'arriver en ces lieux. Elle ignorait tout du secret de la Vierge. Malgré ses origines chypriotes, je suis convaincu qu'elle n'est pas liée aux héritiers du Temple.

— Mais, son nom... Ilios ! s'exclama Guillaume.

— Oui, cela est troublant.

Il se tut.

— Que l'on enquête sur sa famille ! Avertissez nos frères de Grèce. Si jamais ils nous apportaient de nouveaux éléments, je reconsidérerais le problème.

— Si jamais..., intervint encore Guillaume, vous semblez croire qu'ils confirmeront votre certitude.

Le « maître » repartit sèchement :

— Je ne crois rien. J'attends.

— De toute manière, innocente ou coupable, son sort est entendu.

— Nous verrons cela en son temps.

La réplique claqua comme un ordre. Puis il se radoucit et, solennel, proclama :

— Nous pouvons nous séparer, frères.

Des pieds de chaises raclèrent les dalles. Clara s'attendait à voir les Templiers noirs sortir mais elle perçut le grincement d'une porte qui peu après se referma. Elle leva les yeux vers son gardien. Il se tenait au garde-à-vous, sans ciller. Et si tout cela n'était qu'une feinte pour mettre ses nerfs à l'épreuve, comme l'un d'eux l'avait suggéré ? Elle n'eut pas le temps de s'interroger davantage. Derrière le lourd battant, la conversation avait repris. Guillaume était demeuré seul avec Enguerrand.

— Tu voulais me parler ?

Clara nota qu'il avait abandonné son habituel vou-voiement.

— Oui, Enguerrand. Je voulais et veux toujours te parler.

— Je t'écoute.

Etait-ce un soupir, une inspiration plus forte que les autres qu'elle avait surpris ?

— Enguerrand, je t'ai suivi depuis ce jour où Aurélia t'a préféré à un autre. Pour toi j'ai renié ma sœur, j'ai rompu avec ma famille. Par toi j'ai appris le sens de la mission que maints de mes ancêtres s'étaient fixée. Tu as fait resurgir en moi la sève de tous les Templiers noirs qui ont porté le nom d'Aurevilly. Tu m'as éclairé. Te rappelles-tu ces longues conversations sous les chênes du parc, au cours desquelles, lentement, tu m'initiais ? Te rappelles-tu ce premier jour où, de loin, tu m'as montré les murs étrangement intacts de la commanderie ?

— Je m'en souviens. Tu te montrais tellement exalté que j'hésitais à te révéler la voie que moi-même j'avais retrouvée.

— Enguerrand, tu es devenu pour moi plus qu'un frère, mon père spirituel, mon guide. Lorsque le grand « maître » Jean de Malte est mort, j'ai su que tu devais lui succéder. Qui d'autre, plus que toi, en aurait été digne ? Sans t'en avertir, j'ai travaillé le chapitre pour qu'il t'élise. Et jamais je ne m'en suis repenti. Pendant des siècles, notre ordre avait tenté de se maintenir, trop souvent menacé de disparaître, et tu l'as fait renaître dans toute sa splendide rigueur. Tu as appliqué la règle comme un fondateur empreint de sa tâche. Grâce à toi, nous ne vivons plus dans un vague espoir, nous savons que l'heure est proche, imminente. Tous les descendants des Templiers noirs soudain se souviennent et affluent vers nos maisons. En France, en Italie, en Grèce, en Allemagne et dans toutes les terres qui furent de l'empire, tu as relevé l'ordre. Enfin, nous sommes près de retrouver Baphomet, notre effigie sacrée que nous déroba l'arrière-petit-neveu de l'exécré Jacques de Molay. Et tout cela grâce à toi, Enguerrand. Des maîtres et des maîtres se sont succédé. Tous avaient renoncé. Ils se contentaient d'une copie. Toi, tu as engagé toutes tes forces dans ce suprême et glorieux combat. Tu as lancé tous nos frères sur les traces de Baphomet. Que de peines leur as-tu infligées pour qu'ils remontent les siècles et te fournissent enfin l'interminable liste de tous ceux qui possédèrent l'hypocrite Vierge ! Enguerrand, tu es vraiment celui par qui notre puissance éclatera !

— Est-ce pour faire mon éloge que tu es resté ?

Le « maître » était légèrement ironique.

— Oui et non, répondit Guillaume d'Aurevilly. Tu m'a appris à me défier des femmes et tu sembles pris au charme de celle-ci.

— Que racontes-tu ?

— Tu pourrais tromper n'importe lequel de nos frères, tu peux même te tromper toi-même. Mais je peux deviner à ton regard qu'elle t'a ensorcelé.

— Ensorcelé !

— Oui, ensorcelé, comme Aurélia. Avec sa silhouette fragile et délicate, ses yeux d'or, ses mines pures et nonchalantes, cet air de compassion muette. Te souviens-tu, lorsque tu étais fiancé à Aurélia, tu étais si sombre parfois… C'est que coulait déjà en toi le sang du grand « maître » mais tu l'ignorais et tu attribuais ton humeur à tes affaires, aux difficultés que tu rencontrais auprès de tes fermiers. Alors Aurélia s'approchait de toi et elle avait comme cette Clara ce même sourire qui vous culpabilise. Et tu te sentais coupable. Pour lui faire plaisir, tu jouais la diversion et tu y croyais. Méfie-toi, Enguerrand, voilà que de nouveau tu es accessible au remords et à la pitié.

— Tu divagues.

— Alors pourquoi as-tu refusé qu'elle soit torturée ? Pourquoi as-tu répondu que l'on déciderait de son sort en son temps, alors que tu sais pertinemment que nul autre que les chevaliers du Temple noir ne peut pénétrer en ces lieux et en ressortir vivant ?

— Guillaume, tu es un disciple zélé, mais le sang des grands maîtres ne coule pas dans tes veines. Ne cherche pas à comprendre par de petites raisons humaines le sens de ma conduite.

— Je veux te croire.

— Ne m'as-tu pas cru en tout jusqu'à présent ?

L'autre baissa la voix. Clara eut de la peine à entendre.

— Oui, tu as raison.

— Va maintenant.

Il semblait magnanime. Mais Clara se répétait ce mot : « Ensorcelé, ensorcelé comme Aurélia. » Se pouvait-il que Guillaume eût raison et qu'elle ait touché l'âme d'Enguerrand ? L'espoir fou renaissait dans son cœur. Mais il avait nié...

La porte s'ouvrit. Enguerrand la toisa.

— Pourquoi ne l'avez-vous pas reconduite dans sa cellule ? demanda-t-il à son garde.

— Vous ne me l'aviez pas ordonné, « maître ».

— As-tu entendu ce qui s'est dit dans cette pièce ?

— Non, « maître ».

Ou l'homme mentait, ou bien il était sourd.

— Quoi qu'il en soit, tu te tairas.

— Oui, « maître ».

— Reconduis-la !

— Oui, « maître ».

Pendant tout ce dialogue, il n'avait pas jeté un regard sur elle. Guillaume s'était trompé.


On lui avait jeté une miche de pain et une cruche d'eau. Clara consulta sa montre. Elle se félicita d'avoir acheté le modèle à cadran phosphorescent. Il était près de six heures.

Caroline ne tarderait pas à rentrer, les bras chargés de victuailles. Elles avaient invité pour ce soir quelques-uns de leurs amis.

Six heures trente. Caroline devait pousser la porte du pied, laissant rouler à terre le contenu de ses sacs. Clara l'entendait crier :

— Je les ai, tes œufs de cabillaud fumés. Quelle histoire ! J'ai couru toutes les épiceries arméniennes de Paris pour te les trouver ! Tu as intérêt à réussir ton tarama et qu'il soit bien... Comment dis-tu ?... *Yemouchak* ? J'ai acheté des feuilles de vigne et du vin résiné. Où en est ton agneau aux poivrons ?

Caroline devait renifler dans l'appartement vide.

— Mais ça ne sent rien ! J'espère que tu n'es pas en train de te faire une beauté, parce que, cette fois-ci, tes proverbes grecs, du style « Mieux vaut paraître trop que pas assez », je te les fais copier mille fois. Figure-toi que j'ai une tête de sorcière et que François vient ce soir, alors à moi aussi la salle de bains.

Elle entrait dans sa chambre. Le lit était aussi impeccable que le matin. Elle furetait dans l'appartement : personne. Caroline pestait contre la garce qui découchait et l'abandonnait avec un dîner « exotique » ; elle ne connaissait pas la première ligne de la recette.

Clara se mit à hurler dans sa tête :

— Mais non, je n'ai pas découché ! Même au temps où je sortais avec Patrick, je ne l'ai jamais fait ! Tu sais très bien que je suis ponctuelle, fidèle à mes engagements. Alors, pense un peu qu'il a dû m'arriver quelque chose. Penses-y, alerte la police ! Je sortais de chez l'antiquaire et on m'a enlevée. Téléphone à la police, Caroline. Mais je t'en prie, n'appelle pas ma mère.

Mais à quoi bon hurler de la sorte ? En bonne ethnologue, Caroline détaillait les phénomènes les plus étranges mais était incapable de les percevoir dans sa propre vie, où elle appliquait une froide logique dépourvue de toute imagination.

Etait-ce le souvenir de ce dîner qu'elles avaient minutieusement mis au point ou bien la faim ? Une crampe crispa douloureusement l'estomac de Clara. Elle but un peu d'eau à même la cruche et rompit un morceau de la miche. Comme elle plantait ses dents dans la croûte, elle crut entendre un grattement. De ses yeux habitués à l'obscurité, elle regarda autour d'elle. Quelque chose de vivant frôla son pied. Elle faillit crier.

C'était un rat. Ses petits yeux cruels luisaient dans le noir. Clara se plaqua contre le mur, son morceau de pain à quelques centimètres de ses lèvres. Elle était paralysée de terreur. Les phrases cauchemardesques d'une nouvelle de Poe lui revenaient en mémoire. L'homme immobilisé et les rats qui couvrent son corps, le reniflent, et puis le mordent, et peu à peu le dévorent sans qu'il puisse faire un geste, sinon sentir les morsures et être aveuglé de son propre sang.

Elle se reprit.

— Pschi, pschi ! fit-elle à l'adresse de la bête.

— Psi, siffla le rat.

Il se dressa sur ses deux pattes puis rebondit, la queue dressée, prêt à l'attaque. Instinctivement, Clara lui lança un peu de son pain. Il le renifla puis commença à le ronger. Chaque crissement de ses dents clouait un peu plus la jeune fille sur place.

« Les rats ne se déplacent jamais seuls », se dit-elle se souvenant d'un article apocalyptique sur l'intelligence de ces animaux. La phrase semblait s'inscrire sur les murs aussi nettement que sur le papier du journal : « Si les rats atteignaient notre taille, ils seraient assurément nos maîtres. »

— Où sont les autres ? murmura-t-elle.

Le rat dressa les oreilles, dédaignant son quignon, et se redressa sur ses deux pattes, sifflant : « Psi, psi ! » Clara essaya de comprendre cet étrange message, puis elle se passa les mains dans les cheveux.

« Je deviens folle. Un rat n'est qu'un rat. Edgar Allan Poe est un auteur fantastique... Tout cela se passe dans ma tête. Je dois demeurer lucide. Oui, lucide, même si j'ai été enlevée par des fous. Clara, ressaisis-toi, pense à Caroline. »

Elle consulta sa montre.

— Elle doit tempêter contre moi, une serviette sur ses cheveux mouillés, une cuiller à la main.

Elle parlait tout haut mais cela la rassurait, comme si sa propre voix lui avait tenu compagnie dans sa détresse.

— François est toujours en avance. Oui, toujours en avance, Gus.

Elle s'adressait au rat. Puisqu'il était presque aussi intelligent qu'un homme, pourquoi ne pas l'amadouer, l'apprivoiser ?

— Caroline est amoureuse de lui depuis des mois. Chaque fois qu'il vient, il apporte une rose, un disque. Lui aussi est amoureux, Gus. Mais Caroline, avec ses allures de matamore, découragerait le plus assidu des hommes. Pourtant, celui-là s'accroche. Il doit être vraiment mordu. Ce soir, Caroline a décidé d'être féminine. Si tu savais combien de nuits j'ai passées à la persuader ! Et je ne suis même pas là pour l'assister.

Elle s'agenouilla face au rat. Elle n'avait plus peur.

— Dis-moi, Gus, par où es-tu venu ?

Une dernière croûte craqua sous les dents du rat. Il la fixa de ses petits yeux puis se détourna. Clara le suivit. Le rat avait disparu. Elle posa la main contre le mur où il s'était évanoui. Il y avait un trou dans la pierre ; contre sa paume, elle sentit un appel d'air. Les rats avaient trouvé une voie qui menait à l'extérieur. L'extérieur ! Sa poitrine se gonfla. Puis elle se mit à rire, un petit rire dérisoire qui s'enfla.

Comment avait-elle pu penser s'enfuir par cet étroit tunnel ?

— Mais oui, je deviens folle. Gus, tu n'es plus là ? Ah ! je deviens folle.

Elle chantonna doucement cette phrase. Elle la dansa, portant la cruche à bout de bras comme un accessoire de théâtre. Puis, soudain, elle la laissa retomber. La terre cuite se brisa. Une flaque humide mouilla ses semelles. Rageuse, elle balança les débris du bout du pied. Et elle se précipita contre la porte de son cachot, qu'elle martela de ses poings.

— Folle, je suis folle, criait-elle. Oui, je m'appelle Clara Ilios. Ilios signifie soleil et c'est le nom que mon ancêtre templier a pris pour se dissimuler. Jamais les hommes de ma famille n'oublièrent son héritage. Je me nomme Clara, car mon père voulait voir en moi un symbole : clarté du soleil, clarté du soleil éblouissant de la gloire du Christ, clarté du soleil rayonnant sur le Temple de Jérusalem. Je m'appelle Clara et j'ai agi sur l'ordre des héritiers de Jacques de Molay pour détruire à tout jamais tous les Ermont, les Aurevilly. Je sais où se trouve Baphomet. C'est un de mes amis rats qui l'a emporté. Il s'appelle Gus et, à l'heure qu'il est, il court la campagne, aussi vrai que Caroline ouvre sa porte à François qui a cinq minutes d'avance. J'avoue. J'avoue tout. Mais je veux voir le jour, sentir la fraîcheur de la nuit sur mon visage.

Combien de temps cria-t-elle ces paroles insensées ? Lorsqu'elle entendit le bruit des va-et-vient derrière la porte, elle respira profondément et se remit à hurler de plus belle :

— Oui, j'ai voulu ensorceler votre grand-maître comme j'ai ensorcelé le rat. Oui, il est en mon pouvoir.

La porte s'ouvrit d'un coup, la rejetant en arrière. Elle tomba.

— Allez-vous vous taire ?

Enguerrand ! Sa haute silhouette. Sa voix qu'elle détestait et aimait tout à la fois.

— Cela vous gêne ?

— Taisez-vous !

Dans le couloir, elle entrevit Guillaume qui suivait la scène. Enguerrand repoussa la porte, qui claqua.

— J'ai enfin avoué, n'êtes-vous pas content ?

— Clara !

Il avait murmuré son nom.

— Attention, je suis une sorcière, répliqua-t-elle.

— Clara, relevez-vous.

— Mais non, mon pouvoir n'agit que lorsque je suis assise.

Il s'avança et la saisit par les épaules. Elle se retrouva contre lui. Comme ce matin, lorsque après la suspension de la sentence ils s'étaient regardés, elle sentit que quelque chose d'indéfinissable se produisait entre eux. L'envie soudain de tout oublier, d'aller vers l'autre. Il se taisait, penché vers elle. Et, soudain, il s'écarta.

— Gardes ! appela-t-il.

Deux Templiers apparurent dans l'encadrement de la porte.

— Conduisez-la à la salle de la tourelle.

Comme elle s'éloignait dans l'escalier, elle aperçut le visage fermé de Guillaume qui s'approchait du « maître ».

# DEUXIÈME PARTIE

# LE LABYRINTHE DE L'AMOUR

# 5

Clara ne parvenait pas à y croire. Ses gardiens l'avaient laissée dans cette pièce circulaire. Certes, pas plus que dans son cachot, il n'y avait de lumière, mais celle des étoiles lui suffisait. Comme dans un rêve, elle s'était approchée de la fenêtre. Précautionneusement, elle avait fait jouer l'espagnolette et, contrairement à toute attente, celle-ci n'avait pas résisté. Il n'y avait pas de barreau non plus. Elle s'était penchée dans la douceur du vent du soir. Un oiseau qui s'étonne et hésite face à la grille ouverte de sa cage.

Elle observa plus attentivement les alentours de la commanderie. Celle-ci était cernée de bois. Combien de mètres la séparaient du sol ? Bien qu'il fût difficile d'évaluer la distance exacte dans l'obscurité, elle jugea qu'il devait y en avoir une dizaine. Dix mètres ! C'était beaucoup trop pour se jeter dans le vide. Et puis, comment se repérerait-elle dans ces bois ? Pourtant, le vent caressant son visage faisait renaître en elle l'espoir. Si on la laissait là jusqu'au jour, elle pourrait examiner plus attentivement la façade. Peut-être y décèlerait-elle quelques aspérités, des gargouilles qui lui permettraient de prendre appui ? Et, tandis que ces idées d'évasion germaient dans son esprit, elle se demandait pourquoi Enguerrand avait ordonné qu'on la plaçât dans cette pièce.

Elle referma précipitamment la fenêtre. Quelqu'un venait. Obscurément, elle souhaitait que ce fût le

« maître ». Son attente fut déçue. Les gardes qui l'avaient conduite revenaient. Stupéfaite, Clara les regardait faire.

Ils plantèrent des torches dans les murs puis ressortirent pour venir déposer un lit de camp. Quelques instants plus tard, ils apportèrent une table, une chaise, recouvrirent la table d'une nappe blanche. Et Clara dut s'asseoir sur le lit lorsqu'ils la laissèrent face à une série de plats aux couvercles bombés et à un flacon de vin.

Elle caressa l'oreiller d'un doigt, apprécia le moelleux de la couverture et éclata de rire.

— Ou je rêve, ou Enguerrand a trouvé une fort agréable façon de m'empoisonner. Voyons un peu quelle ciguë on a versée dans ce flacon !

Elle se versa un verre de vin. Une douce chaleur l'envahit.

— De premier choix, l'arsenic !

Après la fatigue, la peur, la faim, le vin l'avait légèrement enivrée. Elle tourna autour de la table en virevoltant à chaque pas, soulevant un à un les couvercles.

— Truite fumée... Quenelles... Salade aux truffes... Diplomate. Mais c'est Byzance !

Elle but encore une gorgée, fit une révérence.

— « Maître », si vous êtes cruel, vous savez aussi vivre.

Elle s'attabla et se servit de truite fumée. Comme elle portait la première bouchée à ses lèvres, elle se retourna brusquement, dégrisée. Etrange impression, elle se sentait observée. Elle regarda autour d'elle mais ne vit que les murs, la porte sans judas. Elle avait dû se tromper ; et pourtant, elle aurait juré...

Elle reposa le morceau de truite dans son assiette. Non, elle ne devait toucher à aucun de ces aliments. Elle demeura assise, fixant les plats, prise entre son désir de survivre et sa faim. Soudain, elle sursauta. Elle ne l'avait pas entendu entrer.

Il avait quitté sa chasuble. Avec son pantalon en

54

velours côtelé et son pull à col roulé, il avait quelque chose d'un gentilhomme terrien, rude et courtois tout à la fois.

— Vous n'avez pas faim ?

— Si.

— Alors pourquoi ne mangez-vous pas ? Ah ! vous désirez peut-être d'autres plats. Je ne me suis pas enquis de vos goûts.

— Cela me convient parfaitement.

— Alors ?

— J'ignorais que les Templiers noirs puissent user de si jolis procédés pour éliminer ceux qui les gênent. Je croyais que ces manières s'étaient perdues depuis les Borgia et les Médicis.

Il sourit. Ni ironique ni cynique, seulement un peu moqueur.

— Je vois, dit-il simplement. Vous permettez ? ajouta-t-il.

Et il prit sa fourchette. Posément, il goûta de chaque mets.

— Etes-vous satisfaite ?

— Excusez-moi, balbutia-t-elle.

Elle se reprocha aussitôt cette phrase. Pourquoi s'était-elle excusée de son manque de confiance en un homme dont elle avait tout à redouter ? Au lieu de cela elle aurait dû profiter de l'occasion pour le traiter de monstre, de bourreau, de criminel et de fou. De fou ! De fourbe aussi. Elle se rappelait la façon dont il l'avait amenée à parler de Chypre, de son père. A quel nouveau stratagème se livrait-il ?

— Je crains que tout cela ne refroidisse.

Il embrassa la table d'un geste large. Clara demeurait immobile.

— Je n'ai pas l'habitude de manger sous surveillance, répliqua-t-elle sèchement.

— Oui, c'est très désagréable, convint-il le plus sérieusement du monde, mais une petite lueur amusée illuminait ses prunelles marines.

Il se leva et appela au-dehors. Il parlait bas et, malgré la finesse de son ouïe, Clara ne put comprendre ce qu'il disait.

— Nous allons remédier à cela, déclara-t-il en revenant.

La jeune fille ne bougeait pas. De temps à autre, elle levait les yeux et rencontrait le regard énigmatique d'Enguerrand. A chaque coup d'œil, elle retenait un détail de sa physionomie : son front large et bombé, son nez droit aussi précis que celui d'une sculpture, ses pommettes très hautes qui faisaient ressortir le creux de ses joues, le menton volontaire, la bouche un peu trop grande mais fermement dessinée. C'était le visage d'un homme franc, loyal. Comment avait-il pu en arriver là ? Un prénom traversa son esprit sans qu'elle pût le contrôler : Aurélia.

— A quoi pensez-vous ?

Clara se rendit compte qu'elle fixait Enguerrand depuis plusieurs secondes, essayant de deviner la rupture qui s'était un jour produite en lui.

— A rien.

— A rien..., répéta-t-il d'un ton qui laissait entendre qu'il n'était pas dupe.

Devina-t-il ses pensées ? Peu à peu, son visage se ferma. Un silence pesant s'instaura entre eux. « Pense-t-il encore à elle ? se demanda Clara. Est-ce son souvenir qui l'assombrit de la sorte ? »

Aurélia d'Aurevilly. Elle fit chanter ces deux noms dans sa tête. Aurélia d'Aurevilly, la blondeur des héroïnes de Nerval, la grâce décadente des aristocrates qui vivent dans le souvenir de leurs ancêtres guillotinées et perpétuent leur légèreté, avec une ombre de gravité, en nostalgie du passé aboli. Les yeux baissés, elle imaginait la gracile Aurélia dans les bras fort d'Enguerrand. On avait préparé leur mariage. Les langues allaient bon train dans le village. On supputait le nombre des invités, on se répétait des indiscrétions sur la robe de la mariée, on faisait des histoires à dépasser la veillée en se demandant si quelques vieilles rivalités se tairaient le temps d'une trêve, le temps d'une noce. Tout cela ressemblait à un roman paysan écrit en un autre siècle.

— Vous êtes d'un autre temps, s'entendit-elle dire.

Il eut un haut-le-corps. De quel songe douloureux l'avait-elle réveillé? Et pourquoi éprouvait-elle soudain le besoin de parler à cet homme, de lui montrer une autre voie de lumière?

— D'un autre temps, que voulez-vous dire?

Elle n'eut pas le loisir de lui répondre. Un Templier échanson entra dans la pièce circulaire et disposa un second couvert et de nouveaux plats. Lorsqu'il se fut retiré, il la servit de vin.

— D'un autre temps, répéta-t-il.

La lumière dorée des torches, la musique intime du grésillement de la résine, la galanterie d'Enguerrand et la délicatesse des plats, tout contribuait à faire oublier qu'elle était prisonnière, à la merci de cet homme. Il lui fallait faire un terrible effort pour se le rappeler, tant elle avait l'impression d'être l'invitée du noble Enguerrand, dans son manoir de quelque province.

— Votre visage n'est pas de notre siècle. Vous avez le profil d'un croisé d'enluminure ou d'un gisant de chevalier qui, jusque dans la mort, garde son épée serrée contre son corps.

— Vous avez donc remarqué mon visage!

— Je fais des études d'histoire de l'art. Cela vous expliquera peut-être pourquoi je suis sensible aux apparences. Et le visage d'un homme n'est-il pas semblable à un masque qui refléterait toute son histoire, sa culture, son passé?

En fait, elle cherchait à justifier son propre intérêt.

— Et que voyez-vous dans ce masque?

Elle prit son temps, savourant une bouchée de quenelle nappée d'une sauce exquise. Elle tendit son verre.

— Comment aurais-je pu me douter que votre ordre, tout de rigueur, puisse régaler ainsi ses hôtes ?

Il remplit son verre.

— Vous n'avez pas répondu à ma question.

Elle but une gorgée. Elle se sentait bien. Des images s'imposaient à son esprit et, naturellement, elle les lui décrivit :

— Vous avez été élevé en dehors du temps, un peu comme ces jeunes nobles dont les pères, sous la monarchie bourgeoise de Louis-Philippe, portaient encore la perruque poudrée. Vous aviez un précepteur et l'on vous nourrissait de la gloire de vos ancêtres. Vous les retrouviez à chaque détour de votre demeure, dans les tableaux, les objets et même les fantômes. Puis on vous a envoyé dans un collège de Jésuites ; vos camarades vous ressemblaient. Il y avait le monde autour de vous, les manifestations d'étudiants, les crises politiques, les gadgets d'une saison, mais vous ignoriez tout cela. Vous viviez dans un monde de duels, d'étiquette, de règles d'honneur. Puis...

Il avança une assiette garnie d'une part de diplomate.

— Puis ? demanda-t-il.

— Un jour vous êtes revenu chez votre père. Un domaine à conduire, des terres à gérer. Vous auriez pu vous réveiller de votre adolescence, un peu à la manière d'un homme qui se serait endormi pendant cent ans et découvrirait soudain la vie moderne. Mais, dans les campagnes, le passé dure plus longtemps que dans les villes. On a beau avoir une école flanquée d'un drapeau tricolore, une mairie et un plan de remembrement, on se souvient encore qu'autrefois M. le baron...

— Non, M. le comte, rectifia-t-il.

— Que M. le comte, continua-t-elle, était votre maître absolu, et on a du mal à perdre ses habitudes, certains gestes de respect et de révérence.

— Continuez.

Elle n'avait pas touché au dessert. Le pied de son verre roulait entre ses doigts.

— Votre mère était morte pendant votre séjour au collège et votre père l'a suivie peu après votre retour. Vous étiez seul dans le manoir, un chien à vos pieds, une flambée de bûches dans la cheminée. Il fallait que la lignée se perpétue. Alors vous avez pensé à vous marier.

Il avala d'un trait la fin de son verre. Il la regardait. Etrange femme, avec ces grands cernes mauves qui marquaient ses yeux brillants ! Il l'aurait facilement imaginée se détournant d'un geste las du clavecin où mourait une sonate sous ses doigts. Il l'imaginait si bien dans le salon bleu de sa mère... Pourtant, ce n'était pas une aristocrate. Elle n'était pas nourrie des chimères des généalogies. Et il pouvait tout aussi bien se la figurer riant, entourée d'une bande d'étudiants, ou bien se laissant dorer par le soleil sur une plage du Sud. Il ne pouvait plus se le cacher : lui, l'intraitable grand-maître du Temple noir, était touché par l'extrême simplicité de cette jeune fille. Sa vie, sa mort dépendaient de lui. Quelques heures auparavant, elle hurlait, en proie à la folie. Et maintenant, elle lui parlait calmement, comme à un ami, semblant oublier qui il était. Etait-ce sa clairvoyance extraordinaire ou bien cette faculté non moins singulière à se ressaisir qui le troublait ? Il la regarda encore. La flamme des torches dessinait des reflets fauves et ondoyants sur ses cheveux châtains. N'était-ce pas tout simplement parce qu'elle était profondément humaine ? Humaine, il ne voyait pas très bien ce que ce qualificatif pouvait recouvrir, mais il le pressentait. Humaine, cela devait signifier des millénaires de sagesse sur lesquels le temps n'a pas prise. Que tout cela était éloigné de son univers !

Ils avaient achevé leur repas. Clara souriait à la manière d'une Joconde... Non, ce n'était pas la douce ironie un peu triste de Mona Lisa. Elle souriait comme la Vierge, penchée sur la tendresse du monde, comme cette Vierge qu'elle avait tant désirée. Elle frissonna.

— Qu'avez-vous ?

— C'est idiot... (Elle hésita.) J'ai l'impression que nous sommes observés.

Il ne répondit pas aussitôt mais une ombre passa sur son visage.

— C'est idiot, en effet.

Il se leva, fit mine de se diriger vers la porte, puis se ravisa.

— Peut-être aimeriez-vous vous rafraîchir?

Elle se mordit les lèvres pour ne pas rire.

— Ne me dites pas que vous avez aménagé une salle de bains dans cette commanderie?

— Non, je n'ai rien de tel à vous offrir mais nous pourrions trouver autre chose.

Il s'inclina prestement.

— Je vous remercie de cette excellente soirée, mademoiselle Ilios.

Elle l'imita.

— C'est à moi qu'il appartient de vous remercier, monsieur le comte.

Il sourit et s'éclipsa. Clara versa le reste du flacon et s'approcha de la fenêtre, son verre à la main. Avait-elle rêvé? Il y avait presque de la sympathie dans ce sourire.

Mais, lorsque deux Templiers pénétrèrent dans la pièce, elle se raidit. Ils emportèrent la table, les reliefs du dîner, et revinrent peu après, déposant une antique baignoire en cuivre d'où s'échappaient les vapeurs d'une eau fumante.

Quand ils se furent retirés, Clara s'approcha. Il y avait là un savon, une serviette en ruché, une brosse, un peigne d'ivoire. Enguerrand, comme la commanderie, était plein de ressources insoupçonnées.

Elle commença à se dévêtir puis se glissa dans l'eau.

— Le paradis, murmura-t-elle tout en réalisant ce que ces paroles avaient d'incongru en ces lieux.

Brusquement, elle tourna la tête et instinctivement couvrit ses seins de ses mains croisées. Elle en était sûre, quelque chose avait bougé dans l'interstice des pierres. On la regardait.

Elle demeura, le regard fixé sur la mince fente. Tout semblait immobile. Elle se raisonna sans cependant détourner la tête :

« Ce doit être le reflet d'une torche. »

Elle commença à se savonner, essayant de se concentrer sur ces gestes merveilleux du quotidien afin de chasser l'étrange impression. Mais ce ne fut que lorsqu'elle s'étendit entre les draps frais et que les torches faiblirent qu'elle oublia vraiment.

Comme elle sombrait dans un délicieux sommeil, aidée par le bien-être du vin et du bain, le visage d'Enguerrand lui apparut dans ce vertige si doux qui précède l'inconscience. Il n'était plus le grand-maître du Temple noir mais un homme seulement, comme ce soir. Un homme qui la troublait avec son profil dur de guerrier vulnérable. Pouvait-elle se douter, alors que ces images la berçaient, de ce qui se disait à quelques mètres d'elle ?

# 6

Enguerrand pivota sur lui-même dans la pièce monacale où il avait reçu Clara le matin même. Il arborait de nouveau son masque froid et implacable.

— Tu m'espionnais?

Guillaume baissa les yeux.

— Tu m'espionnais, n'est-ce pas? Et tu la regardais prendre son bain jusqu'à ce que je t'appelle...

— Oui, avoua l'autre, piteux.

— Pourquoi?

Toute trace de colère avait soudain disparu de sa voix. Il se montrait presque paternel dans cette question. Il s'approcha du jeune homme.

— Douterais-tu de moi?

— Non, Enguerrand.

— Tu manques de conviction.

— C'est que tes raisons m'échappent.

— Est-ce suffisant pour me surveiller? Tu n'ignores pas ce que tu encours en agissant de la sorte.

Guillaume blêmit. Il se retint pour ne pas passer machinalement la main dans ses cheveux pâles. Un geste symbolique pour chasser le mauvais souvenir.

Deux ans auparavant, un Templier s'y était risqué. Pour l'endurcir, Enguerrand avait obligé Guillaume à assister à son châtiment. Il n'avait pu oublier. Il se rappelait encore comment il contractait les mâchoires pour ne pas trahir la moindre émotion, comment il s'était obligé à écarquiller les yeux pour lutter contre l'irrépressible envie de les fermer. Quelque part dans sa mémoire, il entendait encore les cris de l'homme, le cinglement du fouet. Et s'il n'y avait eu que la flagellation !

Il ne doutait pas qu'à la prochaine incartade Enguerrand, en dépit de la profonde amitié qui les unissait, ne lui fît subir le même sort. Lorsque le templier-bourreau crèverait ses pupilles d'une pointe portée au rouge, il aurait cette phrase cynique : « Désormais vous chanterez plus juste, chevalier d'Aurevilly. »

N'importe quel homme aurait redouté ces réactions du grand-maître, se serait méfié ou l'aurait détesté. Mais Guillaume n'était pas n'importe quel homme. Son amitié et l'admiration qu'il éprouvait pour Enguerrand s'exaltaient à l'idée qu'il fût capable de faire passer la règle et la grandeur de l'ordre avant ses sentiments personnels. Il semblait s'être à jamais élevé au-dessus des faiblesses humaines. Son âme, son cœur ne vibraient plus que pour sa mission. Il avait atteint la perfection du surhomme, l'ambition de tout Templier noir. Et pourtant, ce soir, alors qu'il dînait avec cette fille, il avait observé sur son visage des expressions perdues depuis son entrée dans l'ordre. Soudain, Guillaume avait eu peur et il avait haï Clara. Bien sûr, en regardant le grand-maître qui lui faisait face, il jugeait ses craintes ridicules, il aurait même été prêt à réclamer son châtiment pour avoir osé douter d'Enguerrand. Mais le doute s'était immiscé sournoisement dans son âme ; il fallait qu'il l'en chassât. Alors, comme un plongeur peureux qui hésite et brusquement ferme les yeux et saute, Guillaume se lança :

— Pardonne-moi Enguerrand, mais cette fille me fait peur.

— Peur ? Elle est à notre merci.

— Je la crois capable de réveiller en toi des sentiments que tu avais détruits à force de veilles, de jeûnes, de méditations, d'endurcissements du corps et de l'esprit.

— Et sur quoi te fondes-tu pour avancer pareille absurdité ?

— Mon impression… ce que j'ai vu. Enguerrand, je la hais. Je la sens capable de te détruire.

Il s'agrippa au bras du grand-maître et d'une voix sourde supplia :

— Débarrasse-toi d'elle ! Ordonne son exécution !

— Aurais-tu oublié les vœux que tu as formulés ? Qui de nous deux doit obéir à l'autre ?

— Enguerrand, je n'ai rien oublié…

Il posa sur lui un regard intense et baissa un peu plus la voix :

— Surtout pas que c'est par toi que j'ai été intronisé.

Enguerrand eut un demi-sourire condescendant. Cette ironie méprisante blessa Guillaume.

« Jamais il ne m'aurait regardé ainsi, avant… »

Une bouffée de haine encore plus violente étreignit son cœur. Il avait mal. Il réprimait son envie de crier. Est-ce qu'Enguerrand ne comprenait pas ? Les yeux d'ardoise scrutaient les yeux limpides. Un dialogue muet s'instaurait entre les deux hommes. Enguerrand s'écarta de Guillaume, semblant réfléchir. Posément, il lui demanda :

— Et si ce soir j'avais dîné avec l'un de nos frères et que tu aies surpris sur mon visage ces soi-disant sentiments, comment aurais-tu réagi ?

Guillaume ne répondit pas. Enguerrand prenait plaisir à le blesser. Cela aussi, c'était à cause d'elle.

— Tu es jaloux, mon petit Guillaume. Tu me veux intraitable, insensible aux autres, sauf à toi.

— Non !

Il niait faiblement.

— Cesse de mentir.

— Je ne mens pas. Je ne pense qu'à toi, qu'à l'ordre. Ce lit, ce souper fin, ce tête-à-tête… Que croiront les chevaliers ? Tu as restauré la règle dans sa pureté, nous interdisant le moindre contact avec une femme, nous ordonnant de dormir à même le sol dans le drap qui sera notre linceul ; pour toute nourriture, nous devons nous contenter de mets frustes. Tu nous as donné l'exemple. Et maintenant... tu renies tes propres règles. C'est ton autorité qui est en jeu. Qu'ont-ils imaginé, aux cuisines, lorsque tu leur as ordonné de se rendre au village par deux fois pour trouver tous ces aliments que nous ne possédons pas ? Et la baignoire...

Il haletait. Enguerrand ne lui laissa pas le temps de reprendre souffle :

— Avoue qu'elle est jolie.

— Jolie !

Il faillit s'étrangler.

— Jolie comme une souris que le chat s'apprête à croquer, poursuivit Enguerrand.

Guillaume soupira :

— Tu me rassures. Un instant, j'ai cru...

— Que j'étais sincère ?

Il éclata de rire.

— Je viens de te prendre à ton propre piège en te démontrant que je me contrôlais parfaitement et pouvais induire en erreur n'importe qui, même toi !

Guillaume se retira. Dans la chapelle, les Templiers de l'office de nuit chantaient les prières à la gloire de Baphomet. L'harmonie datait du XIIᵉ siècle, elle était très nettement orientale, venue du temps où les premiers chevaliers du Temple découvrirent en Syrie Baphomet et ses adeptes. Des étroites cellules, s'échappait la respiration régulière des autres frères plongés dans le sommeil. Dans le couloir au-dessus des cellules, il entendit les hommes de la garde qui se relayaient. Un instant il hésita. Il aurait aimé se mêler à la prière nocturne, s'imprégner de la lente et grave mélopée qui modulait les versets phéniciens. Là, il aurait retrouvé la paix. Mais finalement, il décida de regagner sa cellule. Il avait assez enfreint de règles pour ce jour.

Allongé sur le froid dallage, les mains croisées sous la nuque, Guillaume fixait le plafond bas sans le voir.

Enguerrand l'avait habitué à ses contradictions, à cette constante ambiguïté qui le rendait insaisissable. Mais, finalement, quels que fussent les détours empruntés, il s'affirmait toujours selon la stricte règle de l'ordre. Guillaume avait fini par se dire que les voies du grand-maître étaient impénétrables pour un homme qui n'avait pas atteint son degré de perfection dans l'idéal baphométien. Après cette discussion, il le pensait une fois de plus. Pourtant, il ne parvenait pas à chasser de sa mémoire les intonations douces de Clara, sa fragilité gracieuse de danseuse. Il se répétait qu'il devait avoir confiance en Enguerrand, être son allié inconditionnel, comme il l'avait toujours été jusqu'à présent. Malgré cela, un coin d'ombre demeurait dans son esprit, une intuition confuse dont il ne parvenait pas à se défaire. Guillaume d'Aurevilly ne trouva pas le repos cette nuit-là. Et, à l'aube, avant de prendre sa place à l'office de cinq heures, il se flagella jusqu'au sang pour retrouver un parfait contrôle de sa raison.

Enguerrand demeura longtemps près de la fenêtre. Lui aussi, sans la voir, fixait la masse sombre de la forêt qui cernait la commanderie. Il souriait en repensant à la jalousie de Guillaume. Il avait failli éclater de rire en lui lançant : « Elle est jolie. » Un rayon de lune éclaira son visage. Il souriait toujours mais une ombre passait dans ses yeux. Il avait détrompé son ami mais il savait au fond de lui que celui-ci n'avait pas entièrement tort. Cette jeune fille avait fait vibrer en lui un ressort enfoui qu'il ne parvenait pas à définir. Il avait oublié son nom mais non sa sensation.

Peut-être Guillaume avait-il raison ? Peut-être fallait-il qu'il la fît périr avant que son souvenir ne devînt trop fort ? Il avait dit : « Jolie comme une souris que le chat s'apprête à croquer. » Pourtant, cet homme qui avait ordonné des supplices, des mises à mort sans frémir ne pouvait accepter la vision de Clara froide, raide... Les Templiers de l'office nocturne entonnaient le cantique d'Astarté. Mu par une impulsion soudaine, Enguerrand quitta la pièce et se dirigea vers la chapelle. Il gagna la loge où on avait conduit la jeune fille la veille.

Il pouvait être fier. Même au temps les plus glorieux du Temple noir, peu avant l'arrestation de Jacques de Molay et de ses compagnons, jamais il n'avait aussi bien fonctionné. Et tout cela était son œuvre. Mais, tandis qu'il regardait les Templiers abîmés dans le chant et la prière, d'autres images se surimprimaient, des images qu'il ne pouvait contrôler. Au fond de la nef se précisait la silhouette d'Astarté, déesse du ciel et de l'amour, compagne de Baphomet. Elle se dressait avec sa gorgerette de cuivre, ses lourds pendentifs triangulaires, son diadème en forme de croissant de lune et sa robe de gaze pailletée qui laissait deviner ses formes parfaites et mouvantes dans les replis du tissu. Ses yeux étaient d'or... semblables à ceux de la prisonnière... Non, ce n'était pas Astarté qui lui apparaissait, mais Clara revêtue de tous ses attributs.

Enguerrand recula dans la loge pour qu'on ne le vît pas et se passa une main sur le front. Guillaume avait raison, même s'il s'exprimait avec le simplisme de sa jalousie. Il fallait à tout prix qu'il détruisît cette femme avant de tomber pleinement en son pouvoir. Il retourna à sa cellule, décidé à donner les ordres nécessaires dès le lendemain.

Guillaume venait en tête du rang qui s'était formé sur deux files dans le déambulatoire intérieur qui menait à la chapelle. Il était pâle, les joues creusées par la souffrance de la flagellation qu'il s'était imposée. Mais il portait cette souffrance avec la noblesse douloureuse d'un martyr et cette expression accentuait le charme de son ambiguë et aristocratique beauté. Son voisin immédiat, Albert Bossan, jeta un furtif regard sur ses traits tirés et y fut immédiatement sensible. Il occupait la cellule contiguë à celle de Guillaume. Il avait été réveillé par les cinglements caractéristiques du fouet. Il pensa que Guillaume d'Aurevilly était bien de la même trempe que leur grand-maître. Mais précisément, leur grand-maître... Hier soir, il travaillait au réfectoire. Les lèvres d'Albert Bossan remuèrent à peine. Il ne s'arrêta pas de marcher, lentement, recueilli.

— Je suis inquiet, frère Guillaume.

— Et de quoi ?

— Hier je me trouvais près des cuisines, servant nos autres frères...

Guillaume sentit de nouveau monter en lui cette bouffée de haine à l'égard de Clara. Il savait bien que l'on murmurerait.

— Je sais, dit-il pour couper court à toute interrogation. Notre grand-maître s'est contenté d'user d'une nouvelle tactique.

L'autre ne répondit pas. Mais Guillaume sentit bien que cette explication ne le satisfaisait pas pleinement. Et en effet, il n'y avait pas que ce souper fin qui avait provoqué des échanges de regards interrogateurs entre les Templiers noirs. Les gardes de la prisonnière avaient rapporté des bribes de conversation, perplexes. Ils avaient décrit l'étrange expression qui se lisait sur le visage du grand-maître lorsqu'il était sorti de la salle de la tour.

De la même façon, Albert Bossan souffla brièvement, à peine audible :

— Quand sera-t-elle exécutée ?

— Bientôt.

Il l'espérait lui-même. Après l'office, il fallait à tout prix qu'il rencontrât Enguerrand pour le convaincre de ne plus retarder ce que tout le Temple semblait attendre avec impatience.

Alors que l'office venait de s'achever et que Guillaume traversait les couloirs qui menaient au bureau du grand-maître, Clara se réveilla. Il lui fallut quelques secondes pour se persuader qu'elle ne rêvait pas, qu'elle avait bien été sortie de son sommeil par un rayon de soleil s'attardant sur ses paupières. Elle s'étira comme une chatte paresseuse. Ah ! qu'il faisait bon reposer sur un lit, même si celui-ci était un peu rude ! Elle roula sur le côté et sourit en apercevant la baignoire. D'un bond elle se leva et se retint pour ne pas courir jusqu'à la fenêtre. Elle l'ouvrit.

Que c'était beau, cette lumière matinale sur les feuilles rousses et pourpres de la forêt ! Elle se rappela ses plans de la veille et se pencha pour examiner la façade. Elle ne s'était pas trompée, il y avait bien là quelques gargouilles, des interstices entre les pierres creusés par les pluies et les vents des siècles, tout ce qui aurait pu permettre la fuite d'un grimpeur aguerri. Mais, pour sa part, elle ne s'en ressentait ni la capacité ni le courage. Elle n'était plus habitée non plus par cette intrépidité du désespoir qui, la veille encore, lui aurait fait enjamber la margelle de la fenêtre. Peut-être se montrait-elle d'une innocence regrettable, mais elle ne considérait plus Enguerrand comme un adversaire résolu à la soumettre aux plus terribles souffrances jusqu'à ce que mort s'ensuive. Elle savait désormais que cet homme pourrait être accessible à la logique et à la vérité.

Elle tourna la tête en percevant un bruit de pas dans le couloir. Réalisant alors qu'elle était nue, elle se précipita vers le lit de camp pour en arracher un drap et s'en couvrir. Trop tard !

Enguerrand demeura sur le seuil, surpris par le spectacle inattendu. Clara rougit, un drap pendant dans sa main, et qui ne dissimulait rien. Puis, calmement, Enguerrand referma la porte. Il n'était pas en tenue de ville comme la nuit dernière. Clara se ressaisit et s'enveloppa dans le drap, les yeux baissés.

— Mieux vaudrait vous habiller, lui dit-il.

Quelque chose tremblait dans sa voix brisée par une soudaine émotion.

— Oui, oui bien sûr, balbutia-t-elle. Je vous remercie

encore pour toutes les attentions dont vous avez fait preuve à mon égard.

Elle sourit, un peu gênée.

— Je ne me rappelle pas avoir passé une aussi bonne nuit depuis longtemps.

— J'en suis très heureux.

Il avait peine à déglutir. Guillaume avait vraiment raison. Il ne se contrôlait plus aussi bien. Sa bouche desséchée, sa langue lourde en étaient autant de preuve. Il fallait en finir au plus vite. Il la regarda. Le drap laissait apparaître ses épaules nues, la naissance de sa poitrine. Elle avait des attaches fines, doucement arrondies, une peau claire, délicate, où transparaissait l'ombre bleutée de quelques veines. Il inspira, chercha ses mots et ne put rien dire d'autre que :

— Habillez-vous !

— A tout à l'heure, murmura-t-elle.

Il laissa claquer la porte derrière lui.

« A tout à l'heure », avait-elle dit ! Elle lui avait parlé comme à un vieil ami que l'on s'apprête à retrouver pour une promenade. Enguerrand s'en voulut d'être aussi lâche. « A tout l'heure. » Il souhaita qu'un cataclysme brutal empêchât cette heure de venir.

# 7

Clara sourit. Elle recula et contempla son lit de camp, dont elle venait soigneusement de tirer les draps et de border la couverture. Elle retapa l'oreiller.

« Comme les gestes anodins de la vie vous reviennent vite ! » pensa-t-elle.

A ce même moment, Enguerrand fit son entrée dans la salle du chapitre. Tous les Templiers noirs assemblés se levèrent. Il fit un signe de la main pour les inviter à se rasseoir et s'installa face aux chevaliers.

— Je vous ai réunis afin de vous faire part de la décision que j'ai prise quant au sort de notre prisonnière.

Il marqua une pause. Pour la première fois depuis qu'il avait été élu grand-maître, il lui semblait qu'il n'offrait pas aux chevaliers ce visage impassible, comme taillé dans la pierre. Au premier rang, une étincelle de victoire éclaira les yeux trop clairs de Guillaume d'Aurevilly.

— Aucune femme ne devant pénétrer dans l'enceinte sacrée de la commanderie, elle sera par conséquent exécutée ce soir selon nos usages. La décapitation aura lieu à onze heures, avant l'office de nuit. Son corps sera brûlé et ses cendres dispersées dans la forêt. Elle retournera au silence de l'univers et chacun de vous se taira pour l'éternité. Qu'il soit fait selon ma volonté !

Il se levait lorsqu'un Templier se dressa dans les rangs. C'était Albert Bossan.

— Pardonnez-moi, « maître ». Mais vous n'avez fait aucune allusion à la statue de Baphomet.

— Elle n'était pas en sa possession.

— Mais nous avions cru comprendre qu'elle était complice de nos ennemis et qu'elle aurait pu la remettre à un comparse.

— Cela n'a pas été.

— Soit, si la torture n'a pu la fléchir… il ne nous reste plus qu'à exécuter la sentence et à espérer que l'Enfer nous sera favorable dans notre quête future.

— Elle n'a pas été torturée !

Enguerrand foudroya Guillaume du regard. Mais celui-ci ne baissa pas les yeux. Il avait saisi l'occasion d'assouvir sa haine. Il se sentait fort de tout l'appui du chapitre et déjà un murmure parcourait l'assemblée.

— Alors, tout espoir n'est pas perdu. Ordonnez qu'elle soit suppliciée avant sa décapitation et peut-être obtiendrons-nous de précieux renseignements, s'exclama Bossan.

— Et d'ailleurs, pourquoi cette décapitation ? s'écria Guillaume. N'est-ce pas là le châtiment noble réservé aux chevaliers qui ont gravement manqué ? Il est écrit dans les livres de notre règle que tout manant, toute personne qui ne portera les insignes ni du Temple noir ni du Temple sera selon les circonstances ou brûlé vif ou étranglé par un garrot.

— Chevalier d'Aurevilly, sortez ! gronda Enguerrand.

L'autre ne bougea pas. Le grand-maître regarda les Templiers l'un après l'autre. Il ne lut que doute, soupçons, reproches et interrogations. Il était en train de perdre son ascendant sur ses pairs.

— Frères du Temple noir, il est d'autres tortures que physiques.

Guillaume ricana. Il l'entendit souffler entre ses dents : « Les tête-à-tête, par exemple ! » Ses paroles n'avaient pas dû être perçues par plus de trois personnes. Enguerrand prit le parti de poursuivre comme si de rien n'était :

— Si j'ai affirmé que la statue de Baphomet n'était pas en possession de la prisonnière et qu'elle ignorait jusqu'à son existence, c'est que j'en ai acquis une conviction fondée sur des preuves irréfutables.

— Lesquelles ? demanda Guillaume dans une moue ironique.

Enguerrand croisa les bras sur sa poitrine, releva le menton et toisa le vindicatif jeune homme.

— Je ne puis vous répondre. Il est certains faits connus du seul grand-maître. Ce sont eux qui pouvaient me permettre de confondre la captive et cela n'a pas été...

Il embrassa la salle d'un regard.

— Je crois en avoir assez dit.

Il s'éloigna dans la travée centrale, fixant la porte dont on ouvrit les deux battants pour lui livrer le passage. Au fur et à mesure qu'il avançait, il percevait les craquements des bancs, le mouvement des têtes qui se retournaient. Mais cette agitation ne semblait pas le troubler.

Les deux battants se refermèrent lentement sur le grand-maître. Les Templiers purent apercevoir les longs ondoiements des plis de sa chasuble jusqu'à ce qu'il ait disparu à l'angle du déambulatoire. Il y eut alors un silence lourd, un de ces silences qui précèdent les déchaînements. Puis la rumeur s'éleva, une houle qui gronde avant d'éclater.

— Chevalier d'Aurevilly ! s'écria Bossan.

Guillaume se retourna vers celui qui l'avait apostrophé. Il se rendit alors compte que le regard que ces hommes portaient sur lui était nouveau. Il n'était plus un frère parmi ses frères. Il n'était plus l'ami privilégié du grand-maître. Ils attendaient quelque chose de lui. Il devenait le recours. Alors, pour la première fois de sa vie, il se sentit transporté par le souffle du pouvoir.

C'était une sensation bien plus forte que celle qu'il avait éprouvée en entrant dans l'ordre. Il comprenait qu'un mot de lui pouvait modifier le cours des événements, bouleverser l'ordre des choses. Grisé, il avait l'impression de grandir. Même ses traits semblaient se métamorphoser. Instinctivement, il copiait les attitudes d'Enguerrand et il se répétait :

« C'est donc cela, c'est donc cela... On voit dans les yeux des autres ce qu'on est devenu et l'on ne peut résister à cet appel. En un instant, on oublie tout son passé, une personnalité qui semblait vous coller aux os plus fermement que les muscles et la chair, et l'on sait qu'on est de la race des seigneurs. »

Les images se succédaient, rapides, fortes, colorées, dans son esprit exalté. Il se confondait avec tous ses ancêtres glorieux. Il était croisé dans son armure, gouverneur de la province de Jérusalem, il brandissait son épée à deux mains et dans un sifflement faisait rouler les têtes, il était ivre de poussière, de sang et de cris. Enguerrand avait failli. Il se montrerait à son égard aussi impitoyable que son ami aurait pu l'être envers lui. Il allait devenir le nouveau grand-maître et c'est par lui que viendrait la gloire du Temple noir.

Magnanime, il eut une pensée reconnaissante pour celui qui était déjà destitué et mort à ses yeux. Il l'avait révélé, il lui avait montré la voie. Tel avait été le destin d'Enguerrand. Ainsi en avait décidé Baphomet ; il devait préparer la venue du premier grand-maître de la lumière, lui, Guillaume d'Aurevilly.

— Je vous écoute, frère Bossan.

Il était content de la façon dont résonnait sa voix.

— Je crois me faire l'écho de tous nos frères ici assemblés. Quel que soit le respect que nous portons à notre grand-maître, il ne nous a pas convaincus. Un doute terrible s'est insinué dans nos âmes. Vous seul pouvez le dissiper.

Guillaume s'écarta de son rang et vint se placer près

du fauteuil à haut dossier qu'avait quitté Enguerrand d'Ermont.

— Hélas ! je ne dissiperai point ce doute. Car il n'est point de doute, seulement une certitude. Notre grand-maître est tombé sous le pouvoir de cette femme. Elle l'a envoûté, séduit. Elle a affaibli son âme.

— Est-il vrai que, non content de lui faire servir un repas royal, il l'a partagé avec elle ? demanda un autre.

Guillaume baissa lentement les paupières en signe d'assentiment.

— Oui, cela est vrai. Je les ai vus. Et c'est alors qu'elle a usé de tous ses sortilèges. D'une voix trop douce, elle anesthésiait sa volonté. Elle se penchait vers lui, enjôleuse. Et quand elle eut compris qu'elle le tenait sous son joug, alors elle lui a demandé de lui faire préparer un bain. Pour parfaire son œuvre, elle voulait se dénuder devant lui et le posséder totalement. Mais elle n'a pu y parvenir.

— Erreur ! s'écria une voix.

Guillaume se redressa. Il n'en avait pas tant espéré.

— Ce matin j'étais de garde à sa porte lorsque le grand-maître est venu la visiter, reprit le Templier. J'ai entrevu la scène et j'ai frémi. Elle le guettait. Elle a feint de se cacher d'un drap mais elle est demeurée immobile devant lui, offerte.

Les Templiers se tournèrent les uns vers les autres, s'interrogeant du regard, murmurant. Guillaume leva le bras, tel un *imperator* romain dans son triomphe. La rumeur cessa aussitôt.

— Vous le voyez, cette femme est notre ennemie. Elle détient la statue de Baphomet. Il nous faut la convaincre de parler.

— Oui, oui..., s'enflamma l'assemblée.

— Mais il y a Enguerrand d'Ermont, remarqua Albert Bossan.

Guillaume ne se sentait plus. Il l'avait appelé Enguerrand d'Ermont comme s'il se fût agi d'un simple Templier.

— Puisqu'il a failli, prenons nous-mêmes les décisions qui s'imposent, déclara-t-il.

De nouveau ce fut le silence dans la salle capitulaire. Mais sa qualité était différente de celui qui avait suivi la sortie d'Enguerrand. Aucune rumeur ne se dégagerait peu à peu de lui. Nul ne s'exclamerait soudain, déchaînant la tempête. Les Templiers ne cherchaient pas l'appui de leurs regards réciproques. Leurs yeux étaient fixés droit devant eux. Ils se tenaient, raides et immobiles, comme pétrifiés dans la décision fatale qu'ils venaient de prendre.

— Ne restons pas ici, ordonna Guillaume à voix basse.

Les Templiers noirs se dispersèrent et, calmement, s'en allèrent vaquer à leurs occupations habituelles. Mais, intérieurement, tous étaient tendus. Ils savaient que le moment viendrait. Ils savaient que, feignant un geste rituel, un de leurs frères s'approcherait d'eux et, ses lèvres remuant à peine sur ce qui semblait être une prière, il transmettrait la consigne. Ils allaient, leurs corps se pliant aux mouvements, leur esprit vivant dans l'attente.

Six hommes se dirigèrent vers la chapelle. C'était leur tour d'assurer à Baphomet les dévotions qui ne devaient jamais cesser. Parmi eux se trouvait le chevalier Bossan. Guillaume se joignit au groupe.

L'un ouvrit le tabernacle et avec respect en retira le reliquaire. Ils s'inclinèrent avec respect devant l'ignoble figurine. Aucun spectateur averti n'aurait pu discerner le faible tremblement de leurs lèvres. La fumée s'éleva des encensoirs qu'ils avaient disposés en demi-cercle au pied de l'autel. Ils s'inclinèrent de nouveau, esquissant de rapides hochements de têtes que l'on aurait fort bien pu attribuer au cérémonial du rituel. Puis ils se retirèrent, gagnant leurs places à leurs bancs respectifs, et le chant phénicien trois fois millénaire s'éleva dans la chapelle.

Deux heures plus tard, un autre groupe de six

Templiers les relaya. Ils se croisèrent lentement, inclinant la tête. L'ordre était transmis.

Le jour déclinait sur la forêt. Un soleil flamboyant enflammait la cime des arbres. Des nuages mauves et blancs qui s'étiraient laissaient croire aux premières fumées d'un incendie. Une main posée sur l'appui de la fenêtre, Enguerrand considérait ce spectacle. Il avait l'impression de se fondre dans la lumière de ce crépuscule. Pourtant, si proche qu'il fût de la désincarnation de la méditation, son esprit ne cessait de s'activer. L'atmosphère de la commanderie était étrangement calme, bien trop calme. Après l'assemblée du matin, il s'était attendu à une certaine agitation, à la visite de Guillaume, à ses prières ultimes pour qu'il cédât et livrât Clara à la torture.

A la pensée de la jeune fille ignorante de son sort, il se sentit de nouveau lâche. Elle allait mourir. Les souvenirs de la soirée précédente l'envahirent. Enguerrand d'Ermont sentit brusquement peser sur lui tout le poids de cette solitude dont il avait autrefois tiré force et fierté.

L'orbe solaire avait à moitié disparu à l'horizon de la forêt. Il ne parvenait pas à se concentrer. Le visage de Clara l'obsédait, puis soudain il s'évanouissait ; alors ses réflexions revenaient à la réunion du matin, à l'étonnant silence de Guillaume. Guillaume, le frère d'Aurélia, il l'avait connu languide, ennuyé du monde, cherchant sans jamais les trouver des sensations qui auraient pu donner un sens à sa vie. Il lui avait donné ce but et le jeune homme s'était métamorphosé, s'identifiant à ses ancêtres, enviés d'avoir pu vivre dans un siècle obscur, sauvage et exaltant.

Enguerrand se retourna brusquement, tournant le dos à la fenêtre. Une intuition subite venait de le traverser. Voulant s'en assurer, il s'approcha du mur qui se trouvait à sa droite. De l'index, il suivit une rainure dans la pierre. Un pan du mur pivota sans bruit. Il se retrouva dans un couloir étroit et totalement obscur, mais cela ne le gênait pas. Il connaissait pas à pas ce labyrinthe de couloirs secrets qui couraient entre les parois de la commanderie, les doublant en quelque sorte d'un réseau dérobé.

Il se promena de la sorte des cellules à la bibliothèque, de la salle d'armes au réfectoire, des cuisines au cachot. Chaque fois, il observait par les fentes infimes, que les premiers Templiers noirs avaient creusées pour mieux espionner les moines-guerriers, les soldats du Christ. Il ne remarqua rien d'anormal. S'était-il trompé?

En parvenant à la hauteur de l'antichambre qui donnait sur la salle de torture, il perçut un bruit de voix. Il n'eut aucun mal à reconnaître celle de Guillaume. Retenant sa respiration, sur la pointe des pieds, il vint coller un œil à la fente. Guillaume lui tournait le dos mais il parlait assez haut pour qu'il comprît ses paroles.

— Tout est prêt? demandait-il.

— Oui, répondit le Templier bourreau.

— Surtout, qu'il ne se doute de rien. Tout se passera selon ce qu'il a décidé. Ce n'est que lorsque la fille aura été amenée que nous le cernerons. Il ne doit rien deviner.

— Il ne devinera rien.

— Je veux m'assurer que tous les instruments sont dissimulés et que seuls apparaissent le billot et la hache.

— C'est votre droit.

Le bourreau s'approcha de Guillaume. De la sorte, bien qu'il eût soudain baissé la voix, Enguerrand ne perdit pas un seul de ses mots.

— Nous savons tous ce que nous vous devons. Vous comprenez ce que cela signifie...

Guillaume inclina la tête. Ils passèrent dans l'autre pièce. Enguerrand s'appuya au mur rugueux. Un coup de force! Voilà ce qu'ils préparaient. Une révolte inspirée par la haine de Guillaume! Cet imbécile prétentieux, dans son fanatisme aveugle, se voyait déjà

80

grand-maître ! Il retint un rire sardonique mais le sourire demeura longtemps sur son visage.

Lentement, il regagna son bureau. Les pensées qui l'habitaient ne le surprenaient même pas. La décision s'était imposée à lui brutalement. Il fallait absolument qu'il trouvât un moyen de la mettre en œuvre. Les phrases se succédaient avec une incroyable rapidité dans son esprit... Eloigner les gardes... Gagner l'escalier de la tourelle... Desceller la dalle... Rejoindre le souterrain... Gagner le puits des oubliettes... le tunnel. Son propre sort ne le préoccupait pas. Il voulait la sauver. La sauver ! Ces deux mots, il se les répétait, les martelant comme si en les nommant de toutes ses forces il avait pu leur donner une réalité.

Le Templier qui gardait la porte de Clara était seul. La chance était avec lui. Enguerrand feignit de ne pas s'intéresser à l'homme. Ce ne fut que lorsqu'il arriva à sa hauteur qu'il s'arrêta, négligemment.

— Vous venez de prendre la relève ? demanda-t-il.

— Non, j'ai pris mon poste en début d'après-midi.

Enguerrand le considéra avec étonnement.

— On aurait dû vous relever. Appelez votre remplaçant et allez au réfectoire. La nuit sera longue.

— Mais... « maître », je ne puis laisser la prisonnière sans surveillance.

Enguerrand eut un léger sourire condescendant.

— Comment voulez-vous qu'elle s'enfuie ? La porte est fermée.

— Mais...

— Allez ! C'est un ordre. Et, pour vous ôter toute crainte, je demeurerai moi-même devant cette porte jusqu'à l'arrivée de notre frère.

C'était bien la première fois que le grand-maître s'inquiétait de la faim ou de la fatigue des chevaliers. Quant à assurer leurs fonctions, même le temps d'une relève de quelques minutes, cela était presque inimaginable ! Le Templier hésita, mais on leur avait conseillé d'agir normalement, d'obéir à Enguerrand comme si rien ne se tramait. Le Templier obtempéra.

Le grand-maître attendit que le bruit de ses pas se soit éteint. Puis il fit tourner sans bruit la clé dans la serrure. Il entrebâilla la porte.

Clara était assise face à la table, la tête inclinée sur ses bras croisés. Il lui fit signe de le rejoindre sans prononcer un mot. Stupéfaite, elle se retrouva dans le couloir.

Enguerrand referma la porte et fit jouer la clé. Son bras enlaça son épaule. Ses lèvres effleurèrent son oreille.

— Là-bas, à gauche, vous trouverez un escalier. Descendez-le jusqu'au premier étage et attendez-moi sur le palier.

Clara leva vers lui un regard étonné.

— Allez, souffla-t-il.

Il la poussa. Elle s'exécuta sans comprendre mais sans se poser de questions. Elle sentait obscurément qu'elle devait suivre ses ordres, que son destin en dépendait. Elle trouva aisément l'escalier et s'y engagea. Comme elle arrivait au premier étage, elle entendit des bruits de pas. Le cœur battant, elle s'arrêta, incapable d'avancer ou de reculer, la tête vide. Elle reconnut la voix d'Enguerrand qui parlait avec un autre homme, mais sans pouvoir comprendre ce qui se disait. Puis les voix se turent. Des pas encore. Ils s'éloignaient dans la direction opposée à celle qu'elle avait empruntée. Lentement, son cœur reprit son rythme normal. Alors elle continua sa descente et attendit. Elle comptait mentalement les secondes, les minutes... Rien.

Elle tressaillit. Quelque chose venait de bouger dans l'obscurité. Elle se plaqua au mur et se sentit soudain basculée et happée par le vide. Elle ouvrit la bouche pour crier mais une main étouffa son appel. Le mur contre lequel elle s'était appuyée se refermait. Derrière elle une voix murmura :

— Pardonnez-moi, mais il ne fallait pas que l'on vous entende. Ils vous croient encore dans la tour.

C'était Enguerrand, Enguerrand qui la sauvait !

— Venez, maintenant. Nous n'avons pas de temps à perdre.

Il lui prit une main et la serra dans sa large paume. Une lente descente commença. Elle tâtonnait chaque marche de la pointe du pied avant de s'y engager. A plusieurs reprises, elle faillit tomber, mais chaque fois il prévenait sa chute et étendait son bras pour la retenir.

Ils arrivèrent à un souterrain. Clara leva la tête. Des raclements de métal résonnaient au-dessus d'eux. Enguerrand marqua un temps d'arrêt. Elle devina que lui aussi avait levé la tête, mais elle ignorait qu'ils se trouvaient juste en dessous de la salle de torture. Il passa son bras sous le sien et l'entraîna. Au fur et à mesure qu'ils progressaient l'air était plus humide, une odeur d'eau croupie la prenait à la gorge.

— Nous allons descendre dans un ancien puits. Prenez garde à ne pas glisser. Je passe le premier.

Sa haute silhouette disparut.

— A votre tour, souffla-t-il.

— Où ? murmura-t-elle.

Elle se pencha. Ses doigts rencontrèrent ceux d'Enguerrand. En un instant, il lui avait enserré la taille, la soulevant, la guidant vers les premiers échelons. Elle était face à la paroi gluante, maintenue contre son corps, et ainsi enlacés ils glissaient le long de l'échelle. Elle lui faisait entièrement confiance. La présence de cet homme si près d'elle suffisait à lui faire oublier toute angoisse.

Lorsqu'ils touchèrent le fond, elle buta sur une forme ronde qui glissa devant elle à la manière d'un palet de marelle. Son pied de nouveau rencontra l'objet et craqua, émettant le son d'un os broyé.

— Qu'est-ce ? demanda-t-elle, légèrement inquiète.

— Rien !

Enguerrand pensa pour lui que c'était une bien jolie fin pour un Templier condamné à mourir dans ces oubliettes que d'avoir le crâne brisé par Clara...

Ils marchèrent quelques minutes encore. L'odeur de croupi s'était évanouie. Une fraîcheur agréable frappait son visage. Soudain, au loin, elle aperçut un orifice ouvert sur l'air libre.

— Vous pouvez vous diriger seule, maintenant. La clarté des étoiles est assez lumineuse pour y voir. Lorsque vous sortirez du souterrain, vous vous retrouverez dans la forêt. Allez toujours droit devant vous. Surtout, ne vous écartez pas de cette direction. Après quelque cinq cents mètres la forêt s'éclaircira. Un chemin parcourt cette clairière. Tournez à droite et empruntez-le jusqu'à ce que vous aboutissiez à la route. Vous m'avez bien compris ?

— Oui, dit-elle et elle répéta : Tout droit jusqu'à la clairière, puis à droite jusqu'à la route.

— C'est cela. Partez et... bonne chance !

Elle fit un pas puis se retourna.

— Pourquoi avez-vous fait cela ?

— Je n'ai pas le temps de vous l'expliquer, et puis cela n'a aucune importance.

— Mais vous ? Que diront les autres lorsqu'ils se rendront compte de ma fuite ?

— Ne vous préoccupez pas de cela, c'est mon affaire.

— Je n'oublierai jamais...

— Partez !

Mue par une impulsion subite, elle se haussa sur la pointe des pieds et enlaça son cou. Il recula, surpris, puis l'étreignit à son tour.

— Adieu, Clara !

Doucement, il avait écarté ses mains de sa nuque.

— Non, au revoir.

Il ne répondit pas. Il se retournait déjà, empruntant le souterrain dans le sens inverse du sien. La jeune fille se mit en marche, soutenue par le souvenir encore troublant de cette étreinte fugace d'un homme qui avait voulu sa mort.

# 8

Clara marchait dans la nuit. Les feuilles mortes craquaient sous ses pas. De temps à autre, une branche effleurait son visage, griffait la manche de sa veste. Mais Clara n'y prenait pas garde. Elle avançait, rapide, toujours tout droit, sans crainte de la nuit ni des envols subits des oiseaux dérangés dans leur quiétude. Après ces jours d'angoisse, cette nuit où elle avait senti la folie la prendre doucement, elle revivait avec une vigueur qu'elle avait rarement éprouvée. Elle était portée par la liberté recouvrée et avait le sentiment d'être désormais bien au-delà du danger.

Elle leva la tête. Au-dessus d'elle, un grand bruissement détacha quelques feuilles. Comme l'une d'elles se posait sur son épaule, dans l'éclat de la lune elle reconnut la longue queue d'un faisan doré qui s'élevait vers les arbres et disparut dans le feuillage. Parvenue à la clairière, elle tourna à droite.

Elle marchait de plus en plus vite, stimulée par l'intuition que la route, le monde n'étaient plus très loin. Le faisceau lumineux de phares balaya l'extrémité du chemin. Elle parcourut les derniers mètres en courant. Elle haletait, heureuse de sentir sous ses pieds l'asphalte dur. Jamais petit symbole dérisoire du monde moderne ne lui sembla plus merveilleux.

Tout en longeant la route, elle guettait les voitures. Percevant au loin le ronflement caractéristique d'un moteur, elle s'arrêta et agita les bras, éblouie par la lumière des phares. L'engin ralentit. Le camionneur se pencha à la vitre de son semi-remorque.

— Où allez-vous ?

— A Paris.

— Ça va, montez !

Clara ne put s'empêcher de sourire en se rappelant qu'elle avait toujours considéré l'auto-stop comme une pratique dangereuse réservée à quelques inconscientes qui, parfois, se retrouvaient à la une des faits divers. Comme s'il avait deviné ses pensées, l'homme se tourna vers elle.

— Pas très prudent de se promener sur les routes en pleine nuit. Il la détailla. Drôle de tenue pour une partie de campagne ! Vous n'avez pas de sac ?

— Je me suis disputée avec mon petit ami. Je suis pratiquement descendue en marche et j'ai laissé mon sac dans sa voiture.

Pourquoi ce mensonge ? Elle aurait pu lui demander de la laisser à la prochaine gendarmerie et là tout raconter. Mais elle ne le ferait pas, pas plus dans cette campagne qu'à Paris. Accuser les Templiers noirs revenait à dénoncer Enguerrand. Cela, jamais elle ne le pourrait. Elle se sentait liée à lui bien plus que par leur brève étreinte ou la vie sauve qu'elle lui devait et pourtant elle n'aurait pu définir ce lien.

— Il est complètement inconscient, votre amoureux, grogna le routier. Il aurait pu faire demi-tour et vous convaincre de remonter. Je voudrais voir sa tête si vous aviez été renversée par un chauffard ou si, par hasard, j'étais le frère jumeau du vampire de Düsseldorf.

Et sur ces paroles il grimaça, découvrant des canines qu'il voulait effrayantes. Clara éclata de rire.

— Eh bien, vous n'êtes pas peureuse !

S'il avait su que désormais il lui en faudrait plus que de mauvaises plaisanteries pour connaître la peur. Elle faillit lui demander dans quelle région ils se trouvaient puis se ravisa au moment même où elle entrouvrait les lèvres. Son mensonge ne serait plus plausible si elle

ignorait vers quelle ville son « irascible amoureux »
l'emmenait.

— Vous habitez Paris ?

— Oui.

— Si je vous laisse à la Porte d'Orléans, ça ira ?
Il se reprit aussitôt.

— Mais vous n'avez même pas de quoi prendre un
taxi !

— Ah, c'est vrai, remarqua-t-elle distraite.

Elle venait d'apercevoir un panneau indiquant
« Nemours 20 km ».

— Bon, bougonna-t-il, si vous avez la patience d'attendre que j'en aie fini de décharger je vous raccompa-
gne jusqu'à votre porte. Vous n'avez pas peur de
monter à l'arrière d'une moto ?

— Non, j'ai même fait du moto-cross.

De mensonges en mensonges, elle brouillait les pistes
au fil de sa nouvelle personnalité.

— Ben, vous m'avez l'air d'être une drôle de fille. Et
qu'est-ce que vous faites dans la vie, à part vous balader
sur les routes en pleine nuit ?

— Du karaté.

Il la détailla de la tête aux pieds. Il la trouvait un peu
légère. Elle sourit et répondit à la muette interrogation
qu'elle pouvait lire dans ses yeux.

— Tout en souplesse !

Ils abordaient un virage. L'éclat phosphorescent du
cadran de sa montre attira son regard. 22 h 30 ! Que
faisait Enguerrand ?


Après avoir quitté Clara, Enguerrand était revenu à
son bureau. Il avait soulevé le battant du pupitre et y
avait pris le sac de Clara que Guillaume lui avait remis le
jour de l'enlèvement. Il l'ouvrit. Dans un porte-cartes, il
découvrit la photo souriante de la jeune fille. Il ressentit
une fulgurante décharge au cœur qui gagna toute sa
poitrine. Il referma le sac et le jeta dans les flammes qui
embrasaient la haute cheminée. Longtemps il regarda le

cuir se tordre sous la chaleur puis se recroqueviller. Il remua les braises pour qu'il achevât de se consumer. Les Templiers ne retrouveraient pas de sitôt la trace de Clara. Mais il avait noté dans sa mémoire l'adresse de cette femme qui avait réveillé en lui l'homme qu'il était. Comme si cela pouvait lui être utile, maintenant !

Dans quelques minutes, on viendrait l'avertir que l'heure de l'exécution approchait. Pourvu qu'elle ne se soit pas égarée ! Il espérait qu'elle était hors d'atteinte. Enguerrand s'assit. Comme c'était étrange ce calme puissant qui l'enveloppait. Pourtant il n'ignorait rien de ce qui allait se produire. Cela ne lui importait guère, comme s'il avait déjà dépassé l'instant fatidique où son sort se jouerait. Il éprouvait cette résignation sereine des sages.

Le temps progressait et lui repartait en arrière. Toute sa vie se déroulait dans sa mémoire. Il la jugeait en toute lucidité et sans regrets. Oui, il avait été fou, cruel, possédé. Il avait rejeté un monde auquel il ne se faisait pas, choisi l'ombre. Il avait ressemblé à tous ces Templiers noirs, ceux qui dans quelques instants le jugeraient. Ils se diraient que c'en était bien fini de la puissance du grand-maître et que tout était arrivé par cette femme. Il ne répondrait pas à leurs attaques. Les autres le croiraient anéanti. Comment auraient-ils pu concevoir que dans cette lucidité soudaine il puisait une puissance bien supérieure, celle de l'homme retrouvé.

On frappa à sa porte. Il se cala dans son fauteuil et se composa le visage d'autrefois. Allez, il allait jouer son rôle pour la dernière fois.

— Entrez, dit-il d'une voix forte et autoritaire.

C'était Guillaume. Il le sentit tendu. Ses mains tremblaient. Comme il dissimulait mal !

— Je suis content de te voir. Tout un jour sans me visiter...

L'autre se mordit les lèvres. Enguerrand ne pouvait nier qu'il prenait un certain plaisir à troubler son ami.

« Et il se croit de la race des grands-maîtres, pensa-t-il. Il n'est encore qu'un gamin qui a besoin du soutien de ses camarades pour exister. »

Enguerrand se leva et passa un bras affectueux autour des épaules de Guillaume.

— Dois-je comprendre que tu as passé cette journée à réfléchir et que tu t'es calmé ?

— Il y a de cela, parvint à dire l'autre entre ses dents.

— Ne sois pas si nerveux, Guillaume. Je t'ai compris, n'est-ce pas mieux qu'un pardon ?

Il tapota l'épaule de sa main.

— Moi aussi, j'ai médité au cours de cette journée. Comme tu as changé, Guillaume, depuis la première fois où je t'ai aperçu m'espionnant derrière les écuries tandis que je faisais la cour à Aurélia ! J'avoue être fier de toi.

Il dégagea son bras.

— Mais allons, nos devoirs nous appellent.

Le grand cérémonial des exécutions avait été respecté. Tout le long du parcours qui menait à la chambre de torture, des Templiers se tenaient au garde-à-vous, régulièrement espacés, le capuchon de leurs capes rabattu sur le front. Enguerrand marchait, solennel, entre leurs rangs. Certes, l'atmosphère était pesante, mais tout cela aurait fort bien pu être attribué à la gravité du moment. Ils dissimulaient bien, beaucoup mieux que Guillaume. Cela ne prouvait-il pas qu'ils s'étaient convaincus d'aller jusqu'au bout ? Enguerrand ne pouvait vraiment les blâmer. Lui aussi avait été un Templier noir animé d'une seule foi. Il avait même été le premier parmi tous. Si loin qu'il fût maintenant de leurs convictions, il les comprenait. Enguerrand d'Ermont ne représentait plus à leurs yeux le guide que l'on se doit de suivre aveuglément. S'il avait dû plaider sa cause, il n'aurait été en désaccord avec eux que sur un point : Guillaume était encore très loin de pouvoir assumer ses fonctions. Il doutait même qu'il ne le pût jamais.

Les gardes ouvrirent les battants de la salle. La table avait été recouverte d'un drap rouge. Enguerrand s'assit face à la porte de l'antichambre, celle par laquelle aurait dû apparaître Clara. Les six juges suprêmes, dont Guillaume, l'imitèrent. A mi-chemin entre la table et la porte, on avait préparé le billot. Les jambes écartées, le visage recouvert d'une cagoule, le bourreau se tenait à trois pas de l'infâme tronc maculé de traces de sang anciennes qui avaient bruni. Il s'appuyait, de ses deux mains croisées, sur le manche de sa hâche.

— Amenez la prisonnière, ordonna Enguerrand.

Rien dans son expression ne permettait de déceler qu'il s'attendait à ce qui allait suivre. Un Templier sortit. Il perçut un brouhaha derrière la porte. Tous les autres semblaient mal à l'aise et s'agitaient sur leurs chaises. Lui seul demeurait imperturbable.

La porte s'ouvrit avec fracas.

— La prisonnière a disparu.

Il comprit que ce n'était pas à lui mais à Guillaume que s'adressait le Templier, pourtant il répondit, imperturbable :

— Eh bien, cherchez-la, elle ne doit pas être loin. Fouillez le parc !

Il fallait gagner du temps, assez de temps pour être sûr que Clara était hors d'atteinte. Le Templier hésita sur le seuil.

— M'avez-vous entendu, chevalier ?

Guillaume ne bougea pas. Le Templier s'exécuta. Quelques instants après il perçut le brouhaha de l'alerte.

— Nous la retrouverons, mais il faudra ensuite déterminer par quelle négligence cela a pu arriver.

Les six juges suprêmes se taisaient. Les minutes s'écoulaient, lentes. Le bourreau n'avait pas frémi d'un tremblement. Il semblait figé, une figure de pierre.

Enguerrand retourna le sablier qui se trouvait devant lui. Dans chaque coulée argentée qui filtrait dans le goulot, Enguerrand apercevait non pas le temps qui le séparait de l'affrontement final mais la fuite de Clara. Il l'imaginait, légère, courant sans peser sur les feuilles mortes du sous-bois. Elle s'arrêtait à la clairière et de nouveau s'éloignait. Elle parvenait à la route, biche haletante aveuglée par les phares.

« Ta pureté, la tendresse spontanée de ton cœur toucheront un jour un homme comme tu m'as touché. Je te souhaite tout le bonheur du soleil, douce Clara », pensa-t-il.

Il releva la tête au bruit de la cavalcade dans le couloir.

— La prisonnière est introuvable.

Guillaume se leva. Enguerrand retourna le sablier.

— Où est-elle ? s'écria le jeune homme.

— Je l'ignore.

— Tu mens !

— Je vous en prie, maîtrisez-vous.

— Tu as cherché à la protéger depuis le premier jour. C'est toi qui l'as aidée à s'évader.

— Cela est vrai !

Un autre Templier apparut dans la salle. C'était le garde dont Enguerrand avait détourné l'attention.

— Le « maître » m'a écarté de ma surveillance. Il a eu tout le temps d'agir.

Les cinq autres juges se levèrent à leur tour.

— Qu'avez-vous à répondre, Enguerrand d'Ermont ?

— Cet homme dit la vérité.

— Vous avez scellé votre alliance avec nos ennemis.

— Vous avez trahi notre cause.

— Vous avez voulu notre perte.

— Vous nous avez trompés.

— Mensonge, trahison, abus de pouvoir, perfidie et félonie, crime contre l'ordre et contre Baphomet !

Enguerrand ne bougeait pas. Comme dans un film au ralenti, il se tourna vers Guillaume.

— Et toi, qu'as-tu à dire ?

— Emparez-vous de cet homme !

— Qu'il soit fait selon votre volonté, grand-maître Guillaume d'Aurevilly.

Enguerrand se leva. Il se dégagea de l'emprise des Templiers qui voulaient s'emparer de lui et, la tête haute, suivit le chemin qui menait au cachot. Il n'avait rien perdu ni de sa morgue ni de sa dignité. Il voulait jusqu'au bout montrer à ces hommes ce qu'est un grand-maître. Lorsqu'il se retrouva face au cachot que Clara avait occupé, il se retourna vers ses geôliers.

— Qu'attendez-vous ? Ouvrez cette porte !

Et le grand-maître Enguerrand d'Ermont pénétra dans l'obscurité. Il reconnut le grincement des griffes d'un rat sur le sol.

— Salut, Gus !

Le rat s'arrêta, se dressa sur deux pattes. Ses petits yeux luisaient dans la nuit de sa prison. Enguerrand s'agenouilla, tendit sa main vers l'animal qui la renifla.

— Si tu me montrais ? chuchota-t-il.

Le rat dressa sa queue et disparut dans un trou.

Il était presque une heure du matin. Le semi-remorque s'engagea sur le périphérique. Clara ne parlait plus. Accoudée à la vitre, elle admirait la lueur orangée des néons, s'exaltait à la vue des clignotants rouges des automobiles. Ils sortirent à la bretelle de la Porte d'Orléans.

— Presque arrivés, annonça le chauffeur. Je vous parie que votre petit ami se fait un sang d'encre et qu'il vous attend chez vous.

— Possible, répondit-elle, laconique.

Elle avait peine à réaliser qu'elle avait commis une terrible escapade dans le Moyen Age en regardant ces hommes qui déchargeaient les caisses et les empilaient dans l'entrepôt. Etait-ce à cause de ce voyage dans le temps qu'elle se sentait si à l'aise ? Elle qui rougissait lorsque passant près d'un chantier des hommes la sifflaient en disant : « Ah, che bella ! » « Oh, la mignonne » répondait sans gêne aux remarques de plus ou moins mauvais goût des camionneurs.

— Où est-ce que tu l'as trouvée ? disait l'un.

— Sur le bord d'une route, répondait-elle.

— Elle était perdue ?

— Désemparée, s'exclamait-elle.

Elle accepta même de partager un kir au café d'en face. Elle plaisantait avec ces hommes qui, quelques jours auparavant, n'étaient pour elle qu'une abstraction. Elle se mordit les lèvres de plaisir lorsqu'elle entendit murmurer derrière elle : « Pas bégueule, la bourgeoise ! » Se pouvait-il que l'intellectuelle esthète qu'elle était fût devenue cette femme simple ? Elle se souvint des cours de philo qu'elle avait suivis parallèlement à ses études d'histoire de l'art.

— Nous comprendrions mieux le sens de la vie si nous approchions plus souvent la mort, pensa-t-elle.

Elle savait que plus jamais elle ne serait cette Clara Ilios raffinée et aristocratique que l'on enviait. Peut-être était-elle devenue elle-même. Elle entendit la voix de son oncle « poursuivre l'œuvre de ton père » ! Avait-il seulement voulu parler de l'encyclopédie de l'art byzantin ? Est-ce que son père n'avait pas toujours été ce symbole de la vie sans entraves, sans préjugés ?

— Alors, la moto-cross-woman, vous êtes prête ?

Elle sourit et enfourcha la selle arrière de l'engin en hurlant.

— Pleins gaz !

Ils durent réveiller quelques bourgeois du faubourg Saint-Germain, faire frémir de rage des commerçants de la rue Mouffetard qui sursautèrent dans leur dernière heure de sommeil avant les Halles. Ils traversèrent la Seine, fleuve noir après l'extinction des derniers projecteurs des monuments historiques. Ils s'engouffrèrent dans les rues étroites du Marais. Ici, il n'y avait que les fantômes des précieuses à troubler. Et ils parvinrent à l'immeuble où habitait Clara.

— Ici, cria-t-elle, pointant un doigt.

Les pneus de la moto crissèrent. Le routier revint en arrière.

— Merci, dit-elle, tendant la main.

— Bon, j'espère que vous ne vous disputerez plus.

— Surtout à propos d'une commanderie.

— Une commanderie ?

— Il n'y a pas un château en ruines près de l'endroit où vous m'avez trouvée ?

Il haussa les sourcils.

— Jamais entendu parler, et ça fait cinq ans que je fais la route.

— Alors je me suis trompée.

— Passez nous voir un de ces quatre !

— Promis !

Elle retrouvait l'odeur de cire de l'escalier. Au sixième étage, elle reprit son souffle. Elle avait préparé toute une histoire pour Caroline. Elle sonna.

La porte s'ouvrit brusquement. Ses cheveux courts hérissés, la ceinture dénouée, sa robe de chambre écossaise ouverte sur un pyjama d'homme, Caroline apparut. Elle ouvrit la bouche, puis pâlit comme un zombie.

— Bon sang, qu'est-ce que tu as foutu ? J'allais prévenir ta mère, la police et Interpol. Zut, entre !

Clara pénétra dans l'appartement familier et se laissa choir sur un lit qui, recouvert d'une couverture et garni de coussins, faisait office de canapé.

— On avait acheté du cognac, la semaine dernière.

— Oui. Au supermarché de la rue Rambuteau.

— Alors sers-moi un grand verre !

— Qu'est-ce que tu as fabriqué pendant trois jours ?

— Sers-moi un grand verre et je te raconterai.

Caroline s'éclipsa dans la cuisine. Clara cria :

— Tu t'en prépares un pour me tenir compagnie ?

— Il faut bien que je me prépare au pire, sainte Nitouche.

Et Caroline déposa les deux ballons à liqueur à même un tapis en poils de chèvre.

— Alors ? demanda-t-elle.

# 9

Clara prit le verre à liqueur, laissa tomber ses chaussures et se pelotonna entre les coussins. La veille, à cette heure, elle s'endormait, l'image d'Enguerrand flottant devant ses yeux et dans sa mémoire.

— Alors, me croiras-tu si je te dis que je ne me souviens de rien, pas même du temps écoulé ?

— Qu'est-ce que c'est que cette histoire ?

Caroline ne semblait pas disposée à suivre son amie sur cette voie.

— Oui, je suis sortie de la bibliothèque de l'Institut d'Art, j'ai marché et puis plus rien, jusqu'à cette nuit où je me suis retrouvée devant l'immeuble sans sac, sans papier, sans argent...

— Et sans clé, commenta Caroline. Aurais-tu reçu un coup sur la tête par hasard ?

Clara passa la main sur sa nuque.

— Apparemment, je n'ai pas de bosse.

— Ce n'est pas de ce coup-là dont je veux parler.

Elle agita un doigt faussement menaçant sous le nez de sa compagne.

— Clara, tu ne sais pas mentir. Je suis ton amie et bien que je me sois fait un sang d'encre pendant trois jours, je ne t'en veux pas. Je ne te demande même pas d'explications. Tu peux garder tes petits secrets, mais de grâce, ne me prends pas pour une imbécile en essayant de me faire avaler le canular de ton amnésie.

Clara agita l'alcool, se mordit les lèvres puis hocha vigoureusement la tête.

— D'accord !

— Seulement la prochaine fois que tu te sentiras irrésistiblement attirée par un chevalier apparaissant sur son blanc destrier dans une allée du Luxembourg, garde un reste de lucidité le temps de me prévenir.

— La soirée ? demanda Clara.

Caroline agita les bras aussi frénétiquement qu'un hassid danseur.

— J'ai appelé sur toi toutes les malédictions du ciel et de l'enfer. Rien n'était prêt. François a pu m'admirer avec une serviette sur la tête, dégoulinante sur la moquette, un œil maquillé et l'autre défait.

Clara éclata de rire, imaginant la scène.

— Pendant que tu roucoulais avec un bel inconnu tous mes plans savants de séduction s'écroulaient.

Pendant qu'elle roucoulait ! Une ombre passa sur le visage de la jeune fille. Si Caroline avait pu deviner que sans l'intervention d'Enguerrand elle ne l'aurait jamais revue... Soudain, sa joie de la liberté recouvrée, sa belle humeur partagée avec les routiers disparurent. Le bel inconnu ! Elle lui avait dit au revoir comme pour exorciser son adieu mais le rencontrerait-elle un jour de nouveau ? L'idée qu'il pût ne demeurer qu'un souvenir l'attristait.

« Voyons, c'est ridicule, se dit-elle. Je devrais tout faire pour oublier cet effroyable épisode. Et puis même s'il m'a sauvée, c'est à cause de lui que tout est arrivé. »

Mais ces raisonnements logiques n'avaient aucune prise sur son esprit et encore moins sur son cœur. Une intuition violente lui faisait nier toute évidence rationnelle. Elle avait le sentiment qu'il existait entre elle et cet homme un lien dont l'origine les dépassait, un lien qui en se révélant avait marqué définitivement leurs existences.

— Ça n'a pas l'air d'aller, remarqua Caroline.

— Ce n'est rien, un peu de fatigue.

— Tu as déjà oublié que je ne marche pas dans tes mensonges ?

Clara eut un pâle sourire.

— Garde le silence si tu le désires et pourtant l'orgueil n'est pas bonne conseillère. Même au prix d'une petite blessure d'amour-propre, il vaut mieux parfois se décharger auprès de ceux qui sont prêts à vous écouter.

Clara le savait bien. Elle savait tout aussi sûrement que Caroline s'emparerait de son carnet de notes, exigeant une description méticuleuse des rites. Puis, elle lui conseillerait de se rendre immédiatement au commissariat le plus proche, et enfin se livrerait à un long sermon sur la nécessité de bannir « cet homme » de sa mémoire en lui assurant qu'une bonne nuit ayant produit son effet bénéfique, elle n'aurait même plus demain idée de ses folles pensées.

Mais, le lendemain, Clara tournait dans sa chambre comme une étrangère dans ces lieux pourtant familiers. Elle soulevait un objet, pliait un chemisier sans se sentir concernée par ces gestes. Elle s'arrêta au milieu de la pièce. C'était idiot et cependant, c'est entre ces murs dont elle pouvait librement sortir qu'elle se sentait prisonnière.

— A ce soir, cria Caroline. Le café est encore chaud.

— Merci, répondit-elle par habitude.

Sa voix lui parvenait de l'extérieur. Mal assurée, elle sortit de sa chambre, se laissa tomber sur une chaise et s'absorba dans la contemplation d'un chausson qu'elle balançait à la pointe du pied. Ce mouvement mécanique, régulier, l'hypnotisait, la plongeant dans une torpeur, ni plaisir ni douleur, qui convenait à son âme.

Soudain, elle s'arrêta. Le chausson était tombé, elle fixait le téléphone. D'un bond, elle se leva et se précipita sur l'annuaire. Elle le compulsait fébrilement. A la lettre E, son doigt glissa rapidement le long de la colonne.

D'Ermont A. — D'Ermont E. — D'Ermont M. — Le cœur battant, le sang cognant contre ses tempes, elle composa le numéro qui correspondait au deuxième abonné. Les sonneries se succédèrent, sans réponse. Elle essaya alors un autre numéro. Après quelques secondes, une voix fêlée de vieille femme se fit entendre.

— Madame d'Ermont, demanda-t-elle.

— C'est moi-même.

— Excusez-moi de vous déranger mais je cherche à joindre le comte Enguerrand d'Ermont. J'ai pensé que vous étiez peut-être de la même famille.

Un silence surpris répondit à sa question. La respiration de la vieille femme se précipita. Puis, très lentement, elle demanda :

— Qui êtes-vous?

— Je suis une amie d'Enguerrand.

— Une amie d'Enguerrand! Comment cela se peut-il?

Elle marqua une pause.

— Quand l'avez-vous vu pour la dernière fois?

— Il y a quelques jours.

— C'est impossible.

Puis, plus sèchement elle demanda de nouveau.

— Qui êtes-vous?

— Clara Ilios.

— Votre nom ne me dit rien et mon neveu est mort il y a cinq ans lors d'une traversée de l'Amazonie. Je ne sais de qui vient l'imposture mais vous ne pouvez pas l'avoir rencontré.

Elle pressentit que la femme allait raccrocher. Elle cria presque.

— Et Guillaume, Guillaume d'Aurevilly!

— Mort aussi, dit-elle d'une voix sourde. Dans la même expédition qu'Enguerrand.

— Je suis désolée, madame.

— Un instant, mademoiselle...

— Ilios, Clara Ilios.

Elle reprit, radoucie et digne :

— Mademoiselle Ilios, accepteriez-vous de passer chez moi ? Disons aujourd'hui, cinq heures.

Ce n'était pas une invitation mais un ordre.

— Très volontiers, madame.

Elle raccrocha et ne put s'éloigner du téléphone. Elle avait tenté cet appel au hasard, dans le seul espoir d'être une minute en relation avec une personne proche d'Enguerrand et de le sentir ainsi un peu plus présent dans sa vie. Et voilà qu'elle se retrouvait confrontée à une énigme troublante. Se pouvait-il que celui qu'elle appelait Enguerrand ne fût qu'un imposteur ? D'horribles images s'imposèrent à elle. Enguerrand, ou celui qui se faisait appeler ainsi, n'était qu'un aventurier. Il avait connu le véritable comte d'Ermont et l'avait assassiné dans l'enfer vert de l'Amazonie pour s'approprier son identité. Mais Guillaume ! Son complice. La conversation qu'elle avait surprise entre eux, elle l'avait mal interprétée. Elle s'imaginait une histoire de jeunes aristocrates à la recherche de sensations nouvelles et la vérité était sordide.

Le vent sifflait comme un violon au-dessus de la Seine. De brusques rafales soulevaient les pans de son imperméable. Clara marchait vite. Elle avait décidé de se rendre à pied à son rendez-vous. L'air, le déchaînement des éléments lui donnaient l'impression d'éclaircir son esprit. Elle n'alla pas aussitôt à l'adresse indiquée par la tante d'Enguerrand. Elle s'engagea dans une rue étroite de l'île Saint-Louis.

Au premier étage d'un hôtel du XVIIᵉ siècle s'arrondissait le délicat entrelacs de fer forgé d'un balcon. Clara poussa la lourde porte cochère de l'immeuble et découvrit une cour somptueuse ornée d'une fontaine baroque qu'entourait un jardin imitant une nature sauvage et ruisselante.

— Vous cherchez quelqu'un ? questionna une voix avinée.

Clara pivota lentement sur elle-même et força un sourire à la vue d'un visage bouffi, d'un chignon gris qui se défaisait par mèches grasses.

— M. D'Ermont.

Devant la stupeur de son interlocutrice, elle sourit plus largement et précisa :

— M. Enguerrand d'Ermont.

— J'entends bien, mais y a belle lurette qu'il n'habite plus ici. (Elle ricana.) L'est mort y a cinq ans.

— Oh, on se sera trompé en me donnant son nom.

— C'est l'agence qui vous envoie ?

— Oui, répondit-elle sans réfléchir.

— Serait bien qu'il le loue cet appartement. Vous voulez visiter ?

— Si cela ne vous dérange pas.

— Bien sûr que ça me dérange mais s'ils ne sont pas fichus de faire leur boulot à l'agence faut bien que je le fasse pour eux, hé !

Clara ne put s'empêcher de reculer. L'haleine de cette femme était pestilentielle.

Comme elles montaient l'escalier aux marches modelées par les pas et les siècles, Clara s'efforça de prendre un ton dégagé.

— L'appartement n'a jamais été occupé depuis la mort de M. D'Ermont ?

— Non. Tout est resté comme c'était. Si vous le prenez faudra vous arranger avec la famille pour débarrasser les meubles.

— Sa femme, peut-être.

— N'était pas marié.

— Ah, et comment est-il mort ? Un accident ?

— Sais pas exactement. Il est parti en voyage et il n'est jamais revenu.

— Vous le connaissiez bien ?

— Non. Il ne venait pratiquement jamais à Paris.

La concierge s'arrêta au palier du premier étage.

— Voilà, c'est ici. Je vous laisse. Vous n'aurez qu'à me donner les clés en redescendant.

— Je vous remercie.

Si elle avait espéré tirer quelques renseignements sur la personnalité d'Enguerrand d'Ermont, c'était raté. Mais elle avait obtenu plus qu'elle ne souhaitait à l'origine : la possibilité de pénétrer dans l'univers de cet Enguerrand mystérieux, mort en Amazonie. Elle s'arrêta dans l'entrée. Son cœur cognait dans sa poitrine. Elle avait cette impression que l'on ressent à l'ouverture d'un tombeau antique, une sorte de peur sacrée, de répugnance à violer le silence des souvenirs mêlée d'une curiosité qui s'avère la plus forte.

Elle poussa une première porte. Elle retenait son souffle et instinctivement avançait sur la pointe des pieds. Elle n'aurait pas été surprise d'entendre soudain une voix l'interpeller et lui demander de quel droit elle s'était introduite dans ces lieux.

Elle tourna un commutateur. Un lustre immense éclaira la pièce. Clara leva les yeux. Avec ses breloques de cristal poudrées de poussière, il ressemblait à une figure minérale et fantomatique. Sans bouger, elle regarda autour d'elle. Etrange décor pour un homme, pensa-t-elle ! Elle ne retrouvait pas le grand-maître du Temple noir dans cet amoncellement de récamiers et de bergères dont certains étaient recouverts de châles de brocart orientaux ou de cachemire. Elle l'imaginait mal se mouvant entre ces secrétaires marquetés, ces meubles à colonnades, ces bibelots désuets. Que venait faire cet éventail, cette paire de gants jaunis oubliés sur un guéridon près d'un vase aux roses momifiées ?

Elle s'enhardit et poussa une autre porte qui ouvrait sur le salon. La pièce était pratiquement vide à l'exception d'un bureau à tambour et d'un fauteuil. Elle effleura le tambour du bout du doigt et lentement le souleva. Des rouleaux s'échappèrent du secrétaire. Clara se baissa pour les examiner.

Des cartes ! Des cartes d'Amazonie où une main avait

tracé un itinéraire à l'encre rouge. Ainsi Enguerrand d'Ermont s'était bien rendu dans cette région, ou du moins s'y était-il préparé. Soudain, elle oublia tout scrupule. Frénétiquement, elle se mit à fouiller. Mais elle ne trouva rien qui puisse l'éclairer sur la véritable identité du grand-maître. Il y avait là de vieilles factures, des débuts de poèmes bucoliques raturés, du papier à lettre au monogramme E. E surmonté d'une couronne, des notes sur les tribus d'Amazonie... mais pas la moindre photo, pas le moindre indice pouvant établir un lien avec le Temple noir.

Clara referma la porte de l'appartement. Elle éprouvait la sensation de plus en plus nette que cet appartement n'avait pas été habité par l'homme qui lui avait sauvé la vie l'autre nuit.

De nouveau elle traversa la Seine, gagna la rive gauche et, dépassant le boulevard Saint-Germain, s'engagea dans les rues austères et figées qui, après avoir abrité la noblesse de la restauration, étaient devenues les lieux d'élection des ministères.

— Entrez, l'invita la voix fêlée qu'elle avait entendue au téléphone... Pardonnez-moi si nous demeurons dans cette pénombre, mais je supporte difficilement la lumière.

Clara, lorsqu'elle se fut habituée à la pâle clarté d'une unique lampe recouverte d'un carré de tissu, discerna une silhouette frêle tapie dans un immense fauteuil.

— Asseyez-vous !

Du bout d'une canne, elle désigna un cabriolet en chintz. Puis frappant le parquet de cette même canne, elle appela :

— Victorine !

Une silhouette replète et bonnetée de blanc apparut dans l'encadrement de la porte.

— Apportez-nous du thé !

Elle se tourna vers Clara.

— Chine, Ceylan, jasmin, cannelle, gingembre ?

— Oh, Chine, tout simplement !

— Bien, bien.

Elle retrouvait les intonations autoritaires d'une femme habituée depuis toujours à voir chacun se plier à ses désirs.

— Vous me dites avoir rencontré mon neveu, il y a quelques jours.

— Oui, madame.

Deux petits yeux noirs la scrutèrent derrière un face-à-main. Dans les replis de chair que formaient les rides multiples, ils semblaient impitoyables. Pourtant, Clara soutint ce regard.

— Je vous crois, décréta la tante. Enfin je crois que vous dites la vérité, ce qui n'est assurément pas le cas de cet homme qui prétend au titre de mon neveu, car savez-vous, mademoiselle Ilios, que nous appartenons à l'une des plus anciennes familles de France ?

Et elle se lança dans une interminable généalogie qui remontait au $IX^e$ siècle et aux compagnons de Charlemagne, défilait dans une succession de batailles, de complots nobiliaires, d'émigrations, sans compter les multiples abbesses, cardinaux et bâtards...

Elle s'interrompit lorsque Victorine revint et déposa un plateau où fumait une théière.

— Voulez-vous me servir, mademoiselle Ilios.

Clara s'exécuta tout en trouvant que cette petite dame ridée et hautaine était terriblement antipathique. Pourtant, cette morgue n'était pas sans lui rappeler le grand-maître.

— Décrivez-moi l'homme que vous avez rencontré, ordonna-t-elle après avoir trempé ses lèvres minces dans sa tasse de la Compagnie anglaise des Indes.

— Il est très grand, blond, d'un blond doré aux reflets fauves. Ses yeux sont d'un bleu très sombre. Toute sa physionomie semble celle d'un homme du Moyen Age...

La vieille femme posa sa tasse. Elle était visiblement

troublée et d'une voix qui tremblait un peu, elle expliqua :

— Nous avons acquis la certitude qu'Enguerrand était mort mais nous n'avons jamais retrouvé son corps, pas plus que celui de son ami Guillaume... Seul leur bateau a été repéré par les membres d'une autre expédition. Il était vide, dérivant.

— Pourquoi ce voyage ? interrogea Clara.

— La fuite... le goût de l'aventure, de la conquête de l'impossible et de l'imaginaire... Les hommes...

Elle balaya tout cela d'un geste las de la main. Ces mots ! Il lui semblait entendre Guillaume et Enguerrand. Elle fut interrompue dans ses pensées par M^me d'Ermont.

— Je n'ai que cette photo, elle est ancienne mais peut-être pourrez-vous me dire s'il s'agit du même homme.

Elle lui tendit une photographie en noir et blanc. Elle était un peu floue, représentant un homme en culotte de cheval devant le pont-levis d'un château. Clara détailla les traits. Elle rendit le cliché.

— Non, ce n'est pas lui.

M^me d'Ermont hocha la tête, un vague sourire se dessina sur ses lèvres les amincissant un peu plus. Soudain, avec une vivacité étonnante pour une femme de cet âge, elle brandit une autre photo et l'agita sous le nez de Clara.

— Et celui-ci ?

Elle ne put s'empêcher de pousser un cri.

— Oui, c'est lui.

Les traits s'étaient affirmés mais il n'y avait aucun doute possible.

— Pardonnez cette supercherie, s'excusa la tante.

Elle baissa les yeux. Elle semblait caresser du regard le visage figé sur le papier glacé.

— C'est bien mon cher Enguerrand. Le dernier comte d'Ermont.

Elle s'agita sur son fauteuil.

— Où se trouve-t-il ? Que vous a-t-il dit ? Que fait-il ? Où puis-je le rencontrer ? Je veux tout savoir.

— Ne me demandez pas cela, balbutia Clara.

— Et pourquoi ?

— Je ne peux vous répondre.

— Comment, vous ne pouvez me répondre ? Vous êtes venue me déranger dans mes souvenirs, vous m'avez redonné espoir et vous refusez de me répondre ?

— Calmez-vous, madame.

— Taisez-vous ! hurla-t-elle.

Elle martela le plancher de sa canne, appelant « Victorine, Victorine ! » Clara se leva.

— Je regrette. Je regrette, répéta-t-elle à plusieurs reprises tout en s'éloignant.

Elle bouscula Victorine.

— Ne la laissez pas partir, cria la vieille femme comme si Clara se fût enfuie avec quelque objet précieux.

Surprise, Victorine esquissa un geste mais Clara fut plus prompte. Elle entendait encore les glapissements de l'irascible tante en dévalant l'escalier.

Traitée en voleuse, elle se comporta comme telle et se mit à courir à toutes jambes. Elle bouscula quelques passants qui s'écrièrent : « Le mot pardon a disparu du vocabulaire des jeunes. » « Vraiment, quelle grossièreté ! » « Vous ne pourriez pas faire attention », et autres remarques tout aussi plaisantes. Elle manqua de s'éborgner aux baleines des parapluies, n'esquivant le coup que d'un brusque recul de la tête. L'eau sale des flaques l'éclaboussait jusqu'aux genoux. Mais Clara courait toujours, cherchant un abri où elle pourrait reprendre son souffle, comprendre pourquoi elle avait ressenti cette décharge en plein cœur en reconnaissant Enguerrand alors qu'une voix lui ordonnait de ne rien révéler.

Elle ne ralentit l'allure qu'à l'approche de la Seine. Inspirant profondément, elle la franchit pour la seconde fois. Lorsqu'elle frappa au carreau de la loge, la femme ne la reconnut pas aussitôt.

— Ah, c'est vous, fit-elle finalement se décidant à ouvrir. Je ne vous avais pas remise, vous avez l'air d'une noyée.

— Je voudrais revoir l'appartement, dit-elle s'efforçant de paraître calme.

— Vous êtes rudement accrochée.

La femme décrocha un trousseau.

— Tenez! C'est pas la peine que je vous montre le chemin, hein?

— Non, je vous remercie.

Elle fouilla dans son sac et glissa un billet dans la main de la concierge qui protesta pour la forme tout en faisant rouler ses lèvres l'une sur l'autre dans une lippe gourmande.

— Ainsi elle me laissera en paix le temps qu'il faudra, pensa Clara.

Elle était décidée à ne pas quitter cet appartement tant qu'elle n'aurait pas percé le mystère d'Enguerrand, celui de son étrange et double personnalité.

# TROISIÈME PARTIE

# LE PAYS
# DES MONTAGNES BLEUES

# 10

Dans le salon, le lustre était toujours aussi spectral. Clara avança vers le guéridon. Sans trembler, elle prit la paire de gants. C'était des gants de femme. Elle les ajusta à sa main. Celle à laquelle ils avaient appartenu devait avoir la main longue et fine. Aussi fine que celle de Clara, mais plus longue d'une phalange. Elle tâta le cuir, marquant son empreinte dans la poussière. Du chevreau fin et souple comme une étoffe. Des gants de prix. Poursuivant son investigation, elle retroussa le poignet. Il était marqué d'initiales : A.A.

— Aurélia d'Aurevilly, murmura-t-elle.

Pourquoi cette paire de gants était-elle demeurée ici, posée par habitude et oubliée... par mégarde ou dans la précipitation d'un départ.

D'un geste sec, elle ouvrit l'éventail. Elle le referma de la même façon, les yeux rivés sur le récamier qui lui faisait face. D'infimes détails qu'elle n'avait pas aperçus l'après-midi lui apparaissaient maintenant. Cette ombre sous le meuble, ce n'était pas celle d'un pied ou d'une courbe du bois sculpté en col de cygne langoureux.

Clara éternua à cause de la poussière. Ses doigts tâtonnaient sous le récamier. Ils rencontrèrent un objet qui ressemblait à un livre, rigide et épais comme un dictionnaire. S'allongeant à plat ventre, elle le tira à elle. Il n'y avait aucun titre sur la couverture. Elle la retourna. Une date, une photo jaunie apparurent.

Elle la reconnut. C'était celle que lui avait montrée la

vieille tante. Sous la photo, de la même écriture fine et rapide des poèmes bucoliques, était inscrit : « Alban d'Enguerrand. » Elle continua à tourner page après page, attentive. Au fil des clichés, se dessinait un homme, une vie. Comment croire que ce petit garçon au visage grave qui se tenait droit sur son poney était un jour devenu le grand-maître du Temple noir ?

L'enfant devenait adolescent, jeune homme. Les traits se précisaient, l'allure aussi. Mais toujours ce fond de gravité et de tristesse. Une autre page retomba sous ses doigts. Encore cette décharge au cœur accompagnée d'un sursautement. Sans s'en rendre compte, Clara se mordit les lèvres. Enguerrand riait. Près de lui se tenait une jeune fille. Ces yeux limpides, ces cheveux clairs sillonnés de mèches presque blanches... elle n'avait pas besoin de lire la légende, elle ressemblait trop à son frère. Clara détailla longtemps la silhouette fine au maintien élégant, le sourire satisfait. Il n'y avait rien à dire. Aurélia était vraiment belle. D'une beauté froide et absente mais indéniable. Elle avait l'allure de ces femmes auxquelles rien ne doit résister, auxquelles tout réussit sans qu'elles se donnent de peine.

De page en page, elle s'épanouissait : en robe de bal, en tenue campagnarde, au bras d'Enguerrand, accoudée à un filet de tennis. L'album s'achevait là, comme si une vie y avait abouti.

Clara referma l'album. Elle éprouvait une étrange sensation, comme un fourmillement au niveau du sternum qui aurait vidé sa poitrine pour mieux en prendre possession. Puis elle se sentit totalement enveloppée par l'atmosphère de cette pièce. Elle cherchait le mot qui convenait pour la définir : tristesse, ce n'était pas exactement cela. Mélancolie ? Elle rejeta le qualificatif. Elle ferma les yeux et pensa « nostalgie ».

La nostalgie, un passé lancinant et regretté dans la parfaite lucidité de ne jamais le retrouver, le souvenir de toutes les femmes qui ici avaient passé, femmes elles aussi du passé et avec lesquelles on s'était fourvoyé comme lorsque l'on est amoureux d'un fantôme. La nostalgie, une déchirure jamais déchirée qui vous fait vivre dans une douceur amère semblable à ce vide dans la poitrine. Alors un jour, n'en pouvant plus d'asphyxier, on s'enfuit très loin dans l'abhorré, l'impossible, pour être autre, ne plus se reconnaître. On joue pour oublier et ne jamais se retrouver.

Clara se releva. Elle continuait à passer d'une pièce à l'autre mais elle ne fouillait plus. Elle remarquait un objet, le caressait, le laissait lui parler et il lui racontait Enguerrand : sa souffrance. Elle savait maintenant. Elle allait à son tour partir. Mais avant, elle décida de faire un geste dérisoire, un message au silence. Elle prit une des feuilles à en-tête et la déposa près d'une flûte abandonnée au pied d'un lit de repos. Elle éteignit les lumières. Combien de temps passerait-il avant qu'un inconnu, prédateur de tous ces souvenirs, vienne lire sans comprendre ces deux phrases : « Je ne vous hais point puisque je vous comprends. Tout est dit. »

Elle referma la porte de l'appartement. Mais elle demeura un temps qu'elle n'aurait pu préciser sur le palier. Elle s'était mise à rêver. Si seulement elle avait eu l'argent nécessaire elle aurait loué cet appartement. Elle y aurait créé le cadre où Enguerrand pourrait trouver le repos et même s'il ne devait jamais y revenir, elle l'aurait attendu.

Elle eut un triste sourire. Elle ne pouvait plus se le dissimuler. Elle aimait cet homme. Elle l'aimait comme cela ne lui était jamais arrivé, dans le don total de soi sans exiger un retour. Elle l'aimait et elle ne le reverrait jamais. N'était-ce pas le plus stupide des sentiments ? Mais elle savait aussi qu'elle ne pourrait le combattre. Voilà que le mal d'Enguerrand était contagieux. A son tour, elle s'était éprise d'un spectre.

Au début, plongée dans ses pensées entrecoupées de rêveries, elle n'entendit rien. Puis tout se passa brusquement, comme si elle avait été réveillée dans son sommeil. Elle prêta l'oreille. Aucun doute n'était permis : il y avait quelqu'un dans l'appartement qu'elle venait de quitter. Le craquement du parquet était tel qu'il ne pouvait s'agir d'un rat. Un instant, elle songea appeler la concierge. Un cambrioleur peut-être. Puis elle se cabra à l'idée de voir cette femme bouffie pénétrer dans ces lieux privilégiés. Alors, prête à toutes les parades, elle ouvrit de nouveau la porte.

Un souffle frais effleura son visage. Toutes les fenêtres étaient fermées lorsqu'elle l'avait quitté. Sans ouvrir la lumière, marchant sur la pointe des pieds, Clara se dirigea dans la direction d'où venait le vent. La fenêtre du salon qui donnait sur l'élégant balcon était ouverte, les rideaux gonflés. La jeune fille demeura sur le seuil de la pièce, guettant le moindre bruit.

— Que faites-vous ici ? demanda une voix dans son dos.

Elle ne sursauta pas et pourtant, elle était frappée de stupeur en le reconnaissant.

— Enguerrand, souffla-t-elle en se retournant.

Elle blêmit. Il ne portait qu'une chemise déchirée sur un pantalon informe et de mauvaise toile. La chemise était tâchée de sang. Une longue estafilade où le sang s'était coagulé marquait sa tempe.

— Enguerrand, que vous est-il arrivé ?

Et en même temps, sans y réfléchir, elle serra ses mains entre les siennes. Sous l'effet de ce geste, le grand-maître se radoucit.

— Clara, j'ignore comment vous avez découvert ce lieu et comment vous y avez pénétré mais vous ne pouvez y demeurer.

— Il faut vous soigner, répliqua-t-elle, ignorant ses propos.

— Clara, partez avant qu'il ne soit trop tard. Oubliez-moi, ne cherchez pas à me revoir.

— Il n'est pas question que je vous abandonne dans cet état.

— Clara, en souvenir de ce que j'ai fait pour vous, obéissez-moi.

Il avait dégagé l'une de ses mains de son étreinte pour la poser sur son épaule. Elle sentit qu'il tremblait.

— Je ne vous obéirai que si vous m'expliquez vos raisons. Vous connaissez mon goût de la vérité.

— Oh, Clara ! lança-t-il légèrement exaspéré.

Mais il comprit qu'elle ne céderait pas.

— Bien puisque c'est le prix qu'il me faut payer, je vais tout vous raconter. Lorsque les Templiers noirs se sont aperçu de votre disparition ils m'en ont tenu pour responsable. J'ai été destitué de ma charge, jeté dans le cachot que vous aviez occupé et... torturé.

— Non.

Ce sang, cette estafilade, c'était donc cela ! Clara frémit en se rappelant les instruments barbares qu'elle avait aperçus. L'idée qu'Enguerrand ait pu sentir leur morsure inhumaine dans sa chair la bouleversa en même temps qu'une vague immense de tendresse la submergea : le désir de faire oublier à cet homme ce qu'il avait enduré par sa faute.

— Je devais moi aussi être exécuté. Mais votre ami Gus m'a montré un passage, bien étroit en vérité, mais qui s'effritait aisément. Lorsqu'il y eut l'espace nécessaire pour y ramper j'ai retrouvé le chemin des souterrains qui doublent tous les murs de la commanderie. J'ai pu m'échapper mais ils ne tarderont pas à découvrir par quel moyen. Ils feront tout pour me retrouver et me faire subir mon sort.

— Et tout cela à cause de moi, soupira-t-elle.

— Non. Ils avaient décidé ce coup de force avant même que je ne facilite votre fuite. C'est même parce que j'avais percé leur complot que j'ai voulu vous sauver.

Clara baissa les yeux. Cette révélation la décevait. Puis, aussitôt, elle se traita d'idiote. Oui elle aimait Enguerrand mais était-ce suffisant pour s'imaginer qu'il avait agi par amour ?

— Je ne dispose que peu de temps, reprit-il. Je n'ai qu'une très mince chance de m'en tirer vivant. Alors, ne gaspillons pas deux vies.

— Que comptez-vous faire ?

— Trouver ici des habits, gagner le Havre et m'embarquer.

— L'Amazonie ?

— Vous savez cela aussi.

— J'ai rencontré votre tante.

Il sourit.

— Le dragon ! Je devrais me mettre en colère et vous reprocher d'avoir fourré votre joli nez dans mes affaires mais tout cela serait bien dérisoire maintenant.

Clara continuait sur sa lancée.

— Comment pensez-vous rejoindre le Havre et avec quel argent ? Pour le monde vous feriez figure de revenant.

— J'y pourvoirai.

— Laissez-moi vous aider. Lorsque vous vous éloignerez des côtes françaises, vous n'entendrez plus jamais parler de moi.

— Et que voulez-vous faire ?

— D'abord panser vos blessures.

Il attira sa tête contre son épaule, caressa ses cheveux.

— Je me sens coupable et pourtant j'accepte la première partie de votre plan.

Dans la salle de bains qui aurait bien pu contenir un salon, elle trouva de l'alcool, et du coton.

— Otez votre chemise, ordonna-t-elle. Pardonnez-moi si aucune femme ne doit toucher un Templier noir mais de toute manière cela est déjà fait.

Enguerrand s'exécuta avec une grimace de douleur. Par endroit, la chemise collait aux blessures et il les raviva en arrachant la toile. Clara dut fait un terrible effort sur elle-même pour résister au premier choc de cette vision. Le dos d'Enguerrand était lacéré de cruelles zébrures, témoignages des coups de fouet. Mais il y avait encore pire, les morceaux de chair que des tenailles avaient arrachés et que l'on avait ensuite brûlés au soufre. Elle se ressaisit.

— Cela va peut-être vous faire mal mais il faut désinfecter les plaies. Promettez-moi que vous consulterez un médecin à bord du bateau.

Elle approcha son coton des blessures, les tapota pour atténuer la douleur. Enguerrand ne frémit même pas. Mais elle ressentait la souffrance qu'il maîtrisait comme s'il se fut agi de son propre corps.

— Voilà qui est fait, dit-elle lorsqu'elle eut fini de désinfecter l'estafilade.

Sa voix n'était plus qu'un souffle. Son regard était embué. Enguerrand lui tapota la joue.

— Vous avez été parfaite. Jamais main d'infirmière ne fut plus douce.

Et il déposa un furtif baiser à la naissance de ses cheveux.

— Oui, c'est bien cela, pensa-t-elle, à ses yeux je ne suis qu'une bonne petite. Il a pour moi les gestes que l'on a pour un chien fidèle.

Elle redressa la tête. Elle parlait sur un timbre un peu trop aigu destiné à dissimuler ses sentiments.

— Je vais redescendre maintenant. D'ici une heure je serai de retour. J'aurai une voiture et de l'argent.

— Bien, dit-il reprenant son ton de commandement. Demeurez sous le balcon et sifflez trois fois.

— D'accord.

Et sans se retourner, elle s'en alla, dévala l'escalier, remit les clés à la concierge sans prendre le temps de répondre à ses questions gouailleuses. Elle héla un taxi qui, par chance, passait dans la rue Saint-Louis-en-l'Ile et se fit conduire chez elle.

— Caroline ! Caroline ! cria-t-elle depuis l'entrée.
— Ma parole, tu as vu le diable en personne.

Clara ne releva pas la réflexion.

— Caroline, peux-tu me prêter ta voiture jusqu'à demain matin ?

115

Elle était presque suppliante dans sa requête.

— Eh bien !...

— Je t'en prie, le peux-tu oui ou non ?

Caroline comprit que l'affaire était pressante et que ce n'était pas le moment de poser des questions à son amie.

— O.K.

Elle passa dans sa chambre et revint avec les clés et les papiers de son antique coccinelle.

— Merci.

Interloquée, Caroline vit son amie disparaître aussi vite qu'elle était venue. Elle se demanda ce qui pouvait avoir changé à ce point la douce Clara, un rien nonchalante, soucieuse des convenances.

— Il y a un homme là-dessous, conclut-elle.


Pendant que son amie se posait ses questions, Clara filait, brûlant les feux rouges, en direction de l'hôtel de la vieille comtesse d'Ermont. Lorsque Victorine ouvrit la porte, elle crut qu'elle allait crier. La jeune fille prévint sa réaction.

— Je dois voir M^{me} d'Ermont. C'est à propos de son neveu. Je dois la voir tout de suite.

La femme de chambre recula, l'air soupçonneux. Quelques instants après, Clara entendit les frappements irréguliers de la canne sur le sol.

— Enfin, vous vous êtes décidée, s'exclama le « dragon ».

Cette fois-ci, elle ne se laissa pas impressionner par les grandes allures de la comtesse.

— Votre neveu est en vie. Il a besoin d'argent, de beaucoup d'argent.

— Qu'est-ce que cette histoire ? Pourquoi ne vient-il pas lui-même me le demander ?

— Il ne le peut pas, madame. Il est menacé.

— Menacé ? Et par qui ?

— Je ne puis vous répondre. Etes-vous prête à l'aider oui ou non ?

116

— J'en ai assez de tous vos mystères et qui me prouve que vous dites la vérité que ce n'est pas une manœuvre pour m'extorquer une somme rondelette ?

— Rien.

— Alors retournez d'où vous venez et ne remettez plus jamais les pieds dans cette demeure !

Clara s'approcha de la vieille femme et joua le tout pour le tout.

— Avez-vous jamais entendu parler du Temple noir ?

M<sup>me</sup> d'Ermont eut un haut-le-corps.

— Le Temple noir ? Mais tout cela est une très vieille histoire...

Elle fixa la jeune fille derrière son face-à-main puis le laissa retomber le long de sa cordelette qui le rattachait à son poignet.

— Venez, ordonna-t-elle.

Une demi-heure ne s'était pas écoulée depuis qu'elle avait quitté Enguerrand. Elle avait la voiture et l'argent. Sous le balcon de l'hôtel, elle siffla trois fois. Une silhouette apparut. Avec une dextérité digne d'un monte-en-l'air, Enguerrand se glissait le long de la façade. Un dernier saut, et il se retrouva aux côtés de Clara. Elle démarra aussitôt, se dirigeant vers l'extérieur de Paris. Elle roulait à la limite de la vitesse permise. Comme ils entraient sur le périphérique, elle sentit son regard s'attarder sur elle.

— Vous êtes merveilleuse, Clara. Tant de douceur et d'énergie réunies en une seule femme ! Ma foi, vous m'avez mené là où vous le désiriez.

Un petit rire aigrelet força le sourire crispé de ses lèvres.

« Pas tout à fait », pensa-t-elle.

Puis, avec ce sens aigu de l'instant présent qu'elle avait hérité de son père, elle décida de chasser ces sombres pensées pour ne plus profiter que de sa présence, de ces quelques heures qu'ils devaient passer ensemble. Et après...

« Après, se dit-elle, nous organiserons cette fameuse soirée grecque, je me gaverai de tarama, je boirai un peu plus d'Ouzo qu'il n'est permis et je m'enivrerai de musique et de danse jusqu'à en tomber, terrassée de fatigue et d'oubli. »

Un large panneau suspendu et éclairé indiqua l'embranchement de l'autoroute de Normandie.

— Je voulais seulement que nous soyons quittes. Vous m'avez sauvé la vie et il était normal que...

Il ne répondit pas aussitôt. Il semblait absorbé dans la contemplation du tableau de bord rudimentaire. Il releva la tête brusquement.

— Vraiment, était-ce si normal ? J'en connais qui ne passent pas pour manquer de courage et qui n'auraient eu d'autre souci que de me laisser à un sort qu'après tout j'avais bien mérité. Avez-vous oublié que sans moi rien de tout cela ne serait arrivé ?

— Oui, répondit-elle, mais n'avez-vous pas réparé ? J'ai oublié dès l'instant où j'ai senti la fraîcheur de la nuit sur mon visage.

Disant cela, les mots d'amour montaient à ses lèvres. Elle s'en voulait de les penser et de ne pouvoir les prononcer. Stupide pudeur ! Après tout dans quelques heures ils seraient à tout jamais séparés. Devait-elle le laisser partir dans cette ignorance ? Devait-elle se soucier de son éclat de rire ? Et au moment même où elle se résolvait à avouer, elle revoyait les photos d'Aurélia. Elle n'était qu'une petite femme douce et pleine d'énergie. L'autre, la seule qu'il ait aimé était d'une race bien supérieure à la sienne. Elle appuya sur l'accélérateur dans un mouvement de rage. Elle s'emportait contre toute l'injustice du monde et de l'amour. Pourquoi faut-il aimer sans retour ? Pourquoi faut-il que certains aient tout reçu à leur naissance ?

Avec une sorte de désir masochiste de la vérité, elle s'élança.

— Vous étiez fiancé à la sœur de Guillaume.

— Oui.

Réponse sèche et laconique.

— Elle lui ressemble beaucoup, elle est très belle.

— Comment le savez-vous ?

— L'album.

Il ne répondit pas aussitôt. Les souvenirs se précipitaient, se superposant dans sa mémoire.

— Oui, elle était très belle, reprit-il enfin d'une voix légèrement altérée. Elle était belle à sa manière, comme toutes les femmes de ma famille. Avec elle j'aurais pu continuer à vivre dans cette illusion du passé. Nous aurions eu des enfants élevés comme si 1789 était encore à venir. Nous aurions vécu barricadés entre les tourelles du manoir. De temps à autre, nous serions venus à Paris, évitant soigneusement de regarder le monde, nous rendant aux invitations de quelques dames momifiées dans les anciennes splendeurs du faubourg Saint-Germain.

— Pourquoi ne vous êtes-vous pas mariés ?

Elle savait qu'elle le blessait. Mais n'est-ce pas le sentiment normal de l'amour qui ne peut s'épanouir que de s'exulter en fines banderilles chargées de haine ?

— Parce qu'un jour Aurélia a refusé nos aveuglements. Elle a voulu vivre sans plus recenser ses ancêtres guillotinés. Ses parents n'ont pas compris. Guillaume a considéré son attitude comme une trahison.

— Et vous ?

— Moi ?

Des voitures les dépassèrent en sens inverse, éclairant le visage d'Enguerrand. Il n'exprimait rien, seulement les faits acquis et révolus.

— Elle avait insisté pour que nous passions une journée à Paris. Au retour d'une soirée elle a essayé de me convaincre. Une nuit entière nous avons parlé. Elle usait de tous les arguments. Moi, je ne voulais même pas les entendre. J'étais muré dans mes préjugés, mon éducation et ce que je considérais être la seule voie juste. Alors, au matin, elle a cédé et alors que j'avais pensé pouvoir la soumettre, elle est partie.

— En laissant un éventail et des gants.

— Quel limier vous faites !

Il essaya de rire. Il n'émit qu'un souffle court sur un rictus ironique.

— Je suis devenu fou, continua-t-il. Par réaction contre Aurélia, j'ai plongé plus profondément encore dans le passé... la suite vous la connaissez.

— Et maintenant ?

— Maintenant ou hier, à moins que ce ne soit avant-hier, cette réalité qu'Aurélia voulait m'imposer m'est apparue d'elle-même. Mais il est trop tard. J'ai franchi le précipice d'où on ne revient pas, celui du temps.

Clara quitta une seconde l'autoroute des yeux.

— Ne dites pas cela. Sinon pourquoi chercheriez-vous à vous sauver ?

— Un réflexe.

— Pas seulement ! Lorsque vous serez loin, un autre homme naîtra ou renaîtra et alors tout recommencera.

Il posa la main sur son genou.

— D'où tenez-vous toute cette sagesse ?

— De la vie, peut-être.

— De la vie... et c'est cela que...

Il se retourna brusquement.

— Clara, nous sommes suivis !

# 11

Clara regarda dans son rétroviseur. Effectivement, une voiture roulait derrière eux.

— Ne soyez pas aussi nerveux, dit-elle autant pour le convaincre que pour se persuader elle-même. Sur l'autoroute, une voiture suit toujours l'autre.

— Mais celle-ci est beaucoup plus puissante que la nôtre et pourtant elle ne nous dépasse pas.

— Le chauffeur est un homme prudent.

— Ralentissez. Nous allons bien voir comment ils réagissent. Et, s'ils sont assez près, nous pourrons peut-être apercevoir leur visage.

Tout en levant le pied de l'accélérateur, Clara ironisa.

— Je trouve tout à fait contraire à l'éthique du Temple noir de posséder des chevaux-vapeur. Vos chevaliers ne devraient enfourcher que de fougueux destriers à l'opulente crinière.

Il ne répondit pas à sa plaisanterie.

— Clara, reconnaissez-vous l'homme qui conduit ?

De nouveau elle jeta un bref coup d'œil dans le rétroviseur. Elle faillit freiner brusquement sous le coup de l'émotion.

— L'antiquaire, s'exclama-t-elle. L'antiquaire de la place des Vosges. Mais quel lien pourrait-il avoir avec les Templiers ?

— J'avoue l'ignorer. Mais ce lien existe sans aucun doute puisque l'individu qui se trouve à ses côtés est notre frère-bourreau.

— Que dois-je faire Enguerrand ?

— Avez-vous une arme ?

— Une arme, ciel me prendriez-vous pour une aventurière ?

— Je veux dire n'importe quel objet qui pourrait nous servir d'arme.

— Je ne sais pas. Cette voiture ne m'appartient pas. Mais Caroline est une fille très organisée. Peut-être pourrez-vous trouver une trousse à outils ?

Enguerrand ouvrit la boîte à gants. Il en extirpa un tournevis.

— C'est mieux que rien, déclara-t-il.

— Vous n'avez pas l'intention...

— De tuer un homme ? Non, je veux seulement être capable de me défendre et de vous défendre. Accélérez maintenant. Tant que nous serons sur l'autoroute, ils ne pourront rien tenter.

Clara obtempéra. Les autres maintenaient la distance. Enguerrand se retourna brusquement vers elle.

— Il faut que vous le sachiez. Si quelque chose doit arriver à l'un de nous... je sais que c'est idiot mais je me sens aussi embarrassé qu'un collégien. Vous m'impressionnez tellement.

— Moi ?

Elle éclata d'un rire faux.

— Non, ne dites rien. Vous m'impressionnez comme n'importe quel individu le serait par celui qui lui aurait, après une vie entière d'errements, révélé la vérité, sa vérité. Vous avez réussi là où Aurélia avait échoué.

— Peut-être n'étiez-vous pas prêt à entendre ce qu'elle vous disait ?

Son cœur battait violemment dans sa poitrine. Ses mains étaient moites sur le volant. Elle lui lançait des contre-arguments comme on se pince pour se réveiller d'un rêve.

— Peut-être, admit-il. Mais je l'étais encore moins lorsque vous êtes apparue dans ma vie. Non, cela ne tient pas au temps, à la disponibilité dont je pouvais ou non faire preuve. Ce n'est qu'une question de personne. Vous en avez dit beaucoup moins qu'elle. Il vous a suffi d'être. Les Templiers noirs m'ont condamné. Dans leur logique ils avaient raison. Après le dîner que nous partageâmes dans votre geôle, ma foi a vacillé. J'étais aveugle et soudain j'ai recouvert la vue. Vous avez fait de moi un homme nouveau, seulement par un sourire, l'intonation particulière d'un mot, votre présence. Et, cet homme nouveau a eu envie de vivre. N'est-il pas absurde que maintenant il doive mourir avant d'avoir connu toutes ces merveilles que la vie aurait pu lui offrir ?

— Qui parle de mort, Enguerrand ? Nous nous en sortirons.

Il ne prêta aucune attention à son discours.

— Je suis comme un enfant qui apprend à marcher. Si les circonstances avaient été autres je vous aurais demandé d'être mon guide. Clara, je sais que je suis indigne de ces mots et pourtant je dois vous les dire. Je vous aime.

Une brusque envie de pleurer s'empara d'elle. Les larmes de joie ou bien de tristesse de sentir cette joie si précaire.

— Moi aussi, je vous aime, balbutia-t-elle. Je crois… je crois que je vous ai aimé dès les premières fois où je vous ai vu, alors même que je vous détestais. Peut-être pressentais-je sans le comprendre votre nature profonde ?

Une larme coula sur sa joue. Tendrement, Enguerrand l'essuya d'un doigt et caressa sa joue.

— Tu es la vie faite femme. Tu es une source vive et je ne leur permettrai pas de la tarir.

— Preux chevalier, sourit-elle entre ses larmes, je t'aime.

Tandis qu'ils s'avouaient leur flamme réciproque à la manière de deux êtres que la guerre va séparer et qui soudain en s'élançant l'un vers l'autre défient la mort et le temps, l'antiquaire et le frère-bourreau mettaient au point leur plan.

— Ils ne pourront pas toujours suivre l'autoroute, disait l'un.

— C'est là que nous agirons, répondait l'autre.

— Je les coincerai sur le bas-côté. La fille ne doit pas être un as du volant. Ce sera facile.

— Je profiterai de leur panique pour sauter. Tiens-toi prêt à me prêter main forte. Enguerrand d'Ermont, même affaibli par la torture, n'est pas une petite nature. J'aurais aimé qu'un autre frère ait pu nous accompagner.

L'antiquaire émit un petit rire cruel.

— Je m'occuperai de la fille. Quand il la verra morte, il ne résistera pas.

— Très bonne idée !

L'autre ricana. Le panneau annonçant la sortie pour Rouen apparut.

— Elle a mis son clignotant à droite. Tenons-nous prêt.

Clara fit mine de s'engager sur la bretelle de sortie et à la dernière minute se déporta sur la gauche. Leurs poursuivants, dans leur élan, roulèrent sur le trottoir d'espacement et évitèrent de justesse une borne.

— La garce ! Elle nous le revaudra.

— J'ai l'impression que nous avons une roue abîmée.

— Pas le temps de vérifier. Fonce, il faut les rattraper.

Clara regarda dans son rétroviseur.

— Zut, ils sont toujours derrière.

— A la prochaine sortie, fais exactement ce que je te dirai.

— Oui, maître.

— Me rappelleras-tu longtemps mes erreurs ?

— Pardonne-moi, Enguerrand, je plaisantais.

— Tu n'as pas peur ? s'enquit-il.

— Bien sûr que si ! Mais mon père m'a appris qu'il

faut toujours aller jusqu'au bout de soi, quoi qu'il en coûte. Je vais jusqu'au bout de mon amour.

— Tu as souvent aimé ?

— Une fois, je l'ai cru mais je jouais à aimer pour être semblable aux autres.

— Comment était-il ?

— Epris d'art, galant, neutre, de la race dont on fait les bons maris et les piètres amants... Aucun motif pour être jaloux.

Enguerrand n'écouta pas sa dernière phrase. Un nouveau panneau indiquait la sortie de Pont-Audemer.

— Maintenant, vas-y ! Fonce au maximum.

Oubliant leur conversation courtoise, complètement tendue dans l'instant, Clara lança le moteur au maximum. Elle s'engagea dans la bretelle sans aucun respect de la prudence. Les pneus crissèrent. L'arrière de la voiture chassa. Plus experte que ne le pensaient leurs poursuivants, elle laissa aller avant de braquer et la coccinelle repartit sur sa trajectoire sans diminuer l'allure.

Bientôt ils se retrouvèrent sur une nationale obscure, plantée de deux rangées de majestueux platanes qui dressaient dans la nuit leurs silhouettes rébarbatives. Clara n'avait pas levé le pied et pourtant derrière eux la lueur des phares se rapprochaient. Ils n'étaient plus qu'à vingt mètres, dix, cinq, leurs parechocs touchaient presque les leurs.

A quelques mètres de là, un chemin de terre s'ouvrait entre les arbres. Visiblement, il devait mener à quelque demeure.

— Là, vire ! hurla Enguerrand.

Clara amorça le virage à la dernière minute. La voiture cahota sur les pierres du chemin. Les autres durent faire marche arrière pour emprunter la même voie.

— Arrêtons-nous, maintenant, ordonna Enguerrand. Il saisit le tournevis.

— Enferme-toi dans la voiture. Si les choses tournent

mal, enfuis-toi. Place-toi sous la protection des premiers policiers que tu rencontreras et raconte-leur tout.

Avant qu'elle n'ait pu répliquer, il était sorti. Clara verrouilla les portières. Déjà les phares brillaient sur le chemin de traverse. La voiture fit un violent demi-tour, barrant la voie et toute issue de fuite. Les deux hommes descendirent, calmement, sûrs de leur affaire. Enguerrand les attendait, les bras croisés derrière le dos.

Le frère-bourreau se jeta sur lui. Clara aperçut l'éclat d'une lame briller, pâle, sous la lune. Enguerrand bondit d'un coup, écartant du même geste le bras meurtrier. Les deux hommes roulaient dans le champ, corps à corps. Elle pouvait les voir prendre le dessus l'un tour à tour, repoussant de toutes leurs forces leurs armes.

Pendant ce temps, l'antiquaire s'évertuait à ouvrir les portes de la coccinelle. Bien qu'elle se sût provisoirement protégée, Clara recula instinctivement sur la banquette. Elle ne comprit jamais pourquoi elle s'était mise soudain à klaxonner. Mais, sous l'effet de l'avertisseur, l'antiquaire recula. il allait reprendre sa charge, lorsqu'un cri déchira la nuit. Cela ressemblait à un gargouillement inhumain, qui aurait pu aussi bien appartenir à un homme, à une femme ou à une bête blessée à mort.

« Enguerrand ! » pensa-t-elle.

Et, sans plus réfléchir, elle ouvrit la porte qui donnait sur le champ et se rua à l'extérieur.

Une silhouette se redressa. Clara courut.

— Enguerrand, Enguerrand, cria-t-elle.

Elle ne trouvait pas d'autre mot. Elle se jeta dans ses bras, mais il l'écarta brutalement et avança vers l'antiquaire qui, paralysé de peur, essayait de reculer vers sa voiture.

— Je vous en prie, ne me faites pas de mal, je n'y suis pour rien. J'ai été forcé..., balbutiait-il lamentablement.

Enguerrand ne faisait pas un pas plus rapide que l'autre.

— Forcé, vraiment ? lança-t-il ironique.

— Oui, je vous le jure sur ce que j'ai de plus cher.

— Et qu'y a-t-il de plus cher pour toi ?

— Euh, euh, je vous en supplie ne me touchez pas. Je vais partir, je vous promets que je ne dirai rien. Je vous le promets mais ne me tuez pas.

— Pauvre larve, à la seule vue d'un tison on te ferait dire n'importe quoi.

Un pas encore, et Enguerrand s'était emparé de l'antiquaire. Il avait retourné son bras contre son dos. Clara se rappela sa poigne.

L'antiquaire émit un gémissement de douleur.

— Grâce, pitié, grâce !

Enguerrand pointa son tournevis encore ensanglanté de frais contre sa jugulaire.

— Alors ? demanda-t-il d'une voix trop calme.

— Ils m'ont forcé, je n'y suis pour rien.

— Cesse de mentir.

La pointe s'enfonça un peu plus dans la chair.

— C'est toi qui avais Baphomet, murmura Enguerrand entre ses dents.

— Oui.

— Pourquoi l'avais-tu conservé par devers toi ?

— Je connaissais toute l'histoire. Je voulais la puissance que la statue confère. Lorsque Guillaume d'Aurevilly s'est présenté pour l'acquérir, j'ai aussitôt compris que c'était un Templier noir. J'ai feint l'ignorance. Puis, lorsque j'ai compris qu'il fallait être initié pour pouvoir exploiter cette puissance, j'ai repris contact avec lui. Il m'avait laissé une adresse où je pourrais le joindre. Le contact a été rapidement établi et j'ai été conduit à la commanderie. C'est là qu'ils m'ont proposé de m'introniser dans un très haut rang mais auparavant je devais subir une épreuve : vous retrouver et aider les Templiers à vous occire. Vous savez tout. Laissez-moi partir maintenant.

Enguerrand le repoussa violemment.

— Je te conseille de t'enfuir le plus loin possible. Là où ils ne te retrouveront jamais.

L'homme ne se le fit pas dire deux fois. Il détala et se précipita au volant de sa voiture qui démarra, porte ouverte.

— Ne nous attardons pas, souffla-t-il à l'adresse de Clara.

— Il... il est mort ? demanda-t-elle.

— Oui.

Enguerrand serrait les mâchoires.

« Avoir été si cruel et se troubler pour la mort d'un homme qui vous attaquait avec la seule volonté de vous tuer, quelle métamorphose », pensa Clara.

Ils roulaient maintenant calmement en direction du Havre. Ni l'un ni l'autre ne parlait. Et pour Clara cela n'avait rien à voir avec ce silence des amants qui communient au-delà des mots. C'était un silence lourd comme si soudain un invisible mais infranchissable obstacle s'était dressé entre eux. Elle supportait mal cette situation alors que bientôt ils seraient irrémédiablement séparés. Elle cherchait la mauvaise raison qu'elle s'imputerait bien sûr. Et, comme tous ceux qui s'aiment et qui essaient d'expliquer l'autre, elle se fourvoyait.

A l'entrée d'un village mal éclairée, où toute l'animation semblait réduite à une unique auberge pompeusement baptisée Relais du Roy, Enguerrand s'agrippa au tableau de bord avec une grimace de douleur.

— Que se passe-t-il ? demanda-t-elle, soudainement alarmée.

— Ce n'est rien. Continue et ne t'occupe pas de moi, souffla-t-il d'une voix blanche.

Et comme pour la rassurer, il se redressa et s'enfonça dans le fauteuil. Mais, sans le regarder, elle pouvait deviner ses mâchoires contractées, ses brusques grimacements. Il portait sa main à son épaule, par instant, et la pressait comme pour contenir l'élancement.

— Ecoute, Enguerrand, commença-t-elle.

Elle n'eut pas le loisir d'achever sa phrase. Il venait de tomber, la tête en avant. Sans même regarder si une autre voiture venait, elle fit un brusque demi-tour et roula jusqu'au village qu'ils venaient de quitter. Elle sortit en catastrophe de la coccinelle et se précipita dans l'auberge.

— Où puis-je trouver un médecin ?

Sa voix haletante, sa mine décomposée laissait aisément entendre qu'il y avait urgence. L'aubergiste ne prit pas le temps d'essuyer le verre qu'il tenait à la main.

— Vous avez une voiture ? demanda-t-il.

— Oui.

— Bon, je passe devant vous pour vous indiquer le chemin.

Il sortit à sa suite et extirpa de l'ombre une mobylette calée contre un mur. Enguerrand n'avait pas repris connaissance. Quelques minutes plus tard, aidée du médecin et de l'aubergiste, elle l'installait dans la salle de consultation du praticien.

— Si vous voulez attendre à côté, madame.

Clara tenta de se concentrer sur une revue agricole mais la vie des vaches était bien la dernière chose qui pût calmer son angoisse en cet instant. Lorsqu'elle avait laissé Enguerrand sur la table d'opération, elle avait découvert la tâche de sang qui maculait sa veste. Avait-il reçu un coup de couteau au cours de la lutte ? Elle n'avait que peu de notions de médecine, mais tous les récits qu'on lui avait relatés sur des blessures graves qui ne se révèlent que plusieurs heures plus tard et se terminent tragiquement lui revenaient en mémoire.

Elle laissa tomber la revue. Le médecin lui faisait face, le visage sévère.

— Il faut transporter votre mari à l'hôpital, madame.

Elle étouffa un cri dans ses mains jointes sur ses lèvres.

— Il faudra sûrement leur fournir quelques explications et je ne serai pas étonné que la police s'en mêle..

# 12

La police ! Sous le regard froid et réprobateur du médecin, Clara sentit soudain ses forces l'abandonner. Ses membres devenaient glacés, sa tête se vidait. Elle défaillait presque. Elle eut un haut-le-corps.

« Tenir, pensa-t-elle, tenir pour Enguerrand. »

Mais elle ne se faisait aucune illusion sur ce qui allait arriver. Enguerrand n'avait sûrement pas de papiers d'identité ou s'il en avait ils devaient être faux. Aux yeux des hommes et de la loi, le comte Enguerrand d'Ermont avait disparu cinq ans auparavant en Amazonie. Et elle-même, tout ce qui prouvait qu'elle était bien Clara Ilios était demeuré à la commanderie. Rapidement, comme cela ne se produit que dans les situations extrêmes, elle trouva des solutions à ces deux premiers problèmes. Il lui suffisait de faire appel à la comtesse d'Ermont qui témoignerait pour son neveu. Elle-même s'en tirerait en appelant Caroline, le commissariat du IVe arrondissement. Bien sûr, il y aurait bien des tracasseries avant d'obtenir un quelconque résultat mais cela n'était encore rien.

Elle évoqua le corps de l'homme qui gisait sans vie quelque part dans un champ près de Pont-Audemer. Comment expliquer tout cela sans avouer l'existence du Temple noir et accuser Enguerrand ? L'arrivée de l'ambulance la tira de ses pensées.

— Docteur, est-ce grave ?

— Il s'en tirera. Mais il a perdu beaucoup de sang. Heureusement, le coup semble n'avoir qu'effleuré la partie supérieure du poumon sans le perforer. Quant à la défaillance cardiaque... rien d'inquiétant.

Blême, Clara regarda les ambulanciers déposer le corps inanimé d'Enguerrand sur le brancard, le recouvrir d'une couverture. Le brancard glissa sur les roues du chariot. Elle remonta dans la voiture de Caroline et suivit l'ambulance qui filait, sa sinistre lueur bleue, fluorescente comme les papillons de la mort, tournoyant dans la nuit.

Le virage court devant l'entrée des urgences était digne des meilleures séries « B » américaines. L'interne de service, blouse blanche ouverte sur son torse nu, air affairé et allure de « patron », ne démentait en rien le rôle qui lui était imparti. Même la jeune infirmière, trottinante et soumise, son carnet à la main, entrait parfaitement dans la mise en scène hospitalière. Clara eut un sursaut de révolte face à ce grand temple blanc où la vie des hommes semblait se résumer à trois mots techniques et deux ordres brefs.

— Vous l'accompagnez ? demanda l'interne d'un ton que ne caractérisait pas la courtoisie.

— Oui, répondit Clara sèchement.

— Pour d'admission, c'est à droite.

Il désignait un bureau vitré où sommeillait un Antillais venu perdre son soleil dans les bruines normandes.

— Je peux attendre le diagnostic ?

Elle cherchait à gagner du temps.

— Si vous voulez.

Il lui répondit en lui tournant le dos, soulevant une paupière d'Enguerrand tandis que le chariot roulait vers une salle de consultation. De la sorte, Clara ne put apercevoir la mine perplexe de l'interne.

La porte se referma. Elle était seule dans le couloir, une envie terrible de se laisser glisser à terre, de s'abandonner à sa fatigue, aux larmes. Elle se mordit les lèvres, se redressa.

« Et puis quand même tu pleurerais, aucune main ne se tendrait, aucun bras ne te relèverait. Personne

132

pour murmurer : Ne craignez plus rien, je suis là, vous pouvez vous reposer », pensa Clara.

Elle remarqua un taxiphone accroché au mur d'un orangé verdi. Elle frappa à la paroi vitrée du bureau des admissions. L'Antillais sursauta et machinalement introduisit un imprimé dans une machine à écrire.

— Le nom du malade...

— Non, dit-elle, je voudrais téléphoner à Paris. Est-ce que je peux utiliser le taxiphone ?

Il fit oui de la tête. Elle ouvrit son sac et en sortit un billet.

— Pouvez-vous me faire de la monnaie ?

L'homme bougonna.

— Ah, c'est toujours la même histoire. Mais qu'est-ce que vous croyez tous, que nous sommes une banque ? C'est le service des admissions ici.

Elle avait envie d'éclater mais elle se contint et exhiba son sourire le plus charmeur tandis que d'une voix suppliante elle insistait.

— Je vous en prie, je dois absolument prévenir notre famille.

— Bon, bon, ça va !

Les pièces tintèrent sur la couverture métallique du bureau.

A chaque sonnerie la gorge de Clara se desséchait un peu plus. Il ne manquerait plus que Caroline fût sortie. Elle allait raccrocher lorsqu'un déclic se fit entendre.

— Allô, répondit une voix ensommeillée.

— Caroline, c'est moi, Clara. Il faut absolument que tu m'aides.

— Tu as bousillé mon carrosse !

— Non, je t'en prie écoute-moi. Je suis à l'hôpital de Pont-Audemer. Il faut que tu me rejoignes le plus vite possible. Apporte mon passeport — elle venait de se rappeler qu'il était demeuré chez elle — tu le trouveras dans le premier tiroir de ma commode. Mais avant de partir téléphone à ce numéro — elle énonça les coordonnés de la tante d'Enguerrand. Demande à parler à

M^me d'Ermont, dis-lui que tu l'appelles de ma part, que c'est au sujet de son neveu et qu'elle vienne elle aussi à l'hôpital.

— Caroline, qu'est-ce encore que cette histoire ?

— Je t'expliquerai plus tard. Mais rends-moi ce service. C'est une question de vie ou de mort.

— Bon, je vais essayer de dénicher François et dès qu'il peut m'offrir le luxe de sa conduite intérieure, je me mets en route. Mais tu ne perds rien pour attendre.

Clara sourit. Habituelles menaces de Caroline, habituelle mauvaise humeur, mais elle savait qu'elle pouvait compter sur elle. Pourtant les problèmes étaient loin d'être résolus. Pour s'en convaincre, il suffisait de regarder les sourcils froncés, l'air inquisiteur de l'interne qui sortait de la salle de consultation.

— Dites donc, qu'est-ce qui lui est arrivé à votre petit copain ?

— Nous avons été attaqués sur la route, répondit Clara le plus calmement possible.

— Attaqués, vraiment ? Et les coups de fouets, et les entailles à la pince ?

Clara se mura dans son silence.

— Bon, ce n'est pas mon affaire, reprit-il d'un ton supérieur. Par contre vous feriez mieux de me dire avec quel genre de came il se paie ses petits voyages ?

Clara écarquilla les yeux.

— Inutile de jouer les étonnées. Si vous tenez à sa peau lâchez le morceau.

— Mais... mais il ne se drogue pas.

Il essaya la douceur.

— Héroïne, morphine, opium... juste un signe de tête pour m'indiquer laquelle est la bonne.

— Je vous assure que je ne sais rien.

Il avança résolument vers elle et, avant qu'elle n'ait pu prévenir son geste, souleva violemment sa paupière, scrutant ses pupilles.

— O.K., vous n'en êtes pas mais vous devez bien avoir une petite idée.

Elle secoua la tête. Il eut un geste de colère.

— Petite oie, vous l'aurez voulu. Je vais être obligé de procéder à une analyse. Mais avant d'avoir obtenu le résultat nous aurons perdu du temps. Si le cœur lâche vous ne vous en prendrez qu'à vous.

La porte claqua. Ce fut comme une gifle pour Clara. Des larmes silencieuses roulèrent sur ses joues. Elle ne pensait plus. Elle ne savait plus rien. Les images se succédaient dans son esprit troublé, incohérentes. Elle n'était plus que solitude et douleur. Le chariot qui emportait Enguerrand passa devant elle comme dans un cauchemar. Elle le suivit, automate brisé qui exécute ses derniers gestes par saccades.

— Vous ne pouvez pas entrer, mademoiselle.

Elle leva les yeux. Une infirmière lui souriait. C'était la première voix aimable qu'elle entendait depuis qu'elle avait conduit Enguerrand chez le médecin du village.

— Vous ne pouvez pas entrer en salle de réanimation, reprit la femme.

— Oui, oui... balbutia Clara.

L'infirmière la prit par le bras et la conduisit à une banquette en skaï lustrée par tous ceux qui avaient attendu, suspendus à un infime espoir.

— Voulez-vous du café?

Elle baissa les paupières en signe de consentement. L'infirmière revint peu après et lui tendit un gobelet de carton. Comme elle trempait ses lèvres pour aspirer une première gorgée du liquide brûlant, l'interne réapparut. Il arracha le masque vert qui dissimulait le bas de son visage, et avança vers elle, étrange astronaute aux éléphantesques bottes de papier.

— Excusez-moi, votre ami n'est pas drogué. Mais nous ne nous expliquons pas ses symptômes. Peut-être pourriez-vous nous aider?

Elle se dressa d'un bond.

— Quels symptômes?

— Il est plongé dans une espèce de coma d'un type

très particulier. Le cœur a repris son rythme normal. En dehors des blessures, tous les organes fonctionnent normalement mais... l'électro-encéphalo est plat. En d'autres termes, il est cliniquement mort et pourtant il vit sans aucune assistance mécanique. Je ne sais pas si je me fais comprendre.

— Il est mort et vivant tout à la fois, répéta-t-elle d'une voix blanche.

— Pour simplifier, c'est cela.

Elle réfléchissait à toute vitesse.

— La blessure, balbutia-t-elle, l'avez-vous examiné. Peut-être le poignard était-il empoisonné ?

— Hum, vous lisez beaucoup de romans policiers...

— Non, j'ai entendu dire que certains poisons utilisés en Amérique du Sud ou en Afrique...

Il ne la laissa pas achever sa phrase.

— Après tout, ce n'est peut-être pas si bête. Seulement s'il s'agit de cela, nous ne sommes pas équipés ici, il faudra le transporter à Paris.

Et il remonta son masque. La porte de la salle de réanimation battit sans bruit derrière lui, assourdie par ses rembourrages de plastique.

Les heures passèrent. A chaque mouvement qui se dessinait derrière la porte, Clara tremblait. L'interne l'avait avertie que les nouvelles analyses auxquelles il avait procédé s'étaient avérées négatives. Ils avaient tenté un électrochoc sans résultat. Il ne pouvait pas lui dire combien de temps le coma se prolongerait. Il pensait malheureusement que bientôt les autres fonctions lâcheraient.

— Clara !

La voix familière de Caroline fut comme une bouée de sauvetage dans sa détresse.

— Pas facile de te trouver. Nous avons fouillé tous les services. Que fais-tu ici ? Si cela a un rapport avec la mégère non apprivoisée que tu m'as demandé d'appeler, j'espère pour toi que le neveu est plus aimable que la tante.

Derrière son amie, elle reconnut François. Elle lui adressa un signe de tête en guise de salut et entraîna son amie à l'écart.

— Caroline, je vais tout te raconter. Promets-moi seulement de ne pas te moquer de moi. Te rappelles-tu ce que tu m'avais dit lorsque tu es revenue de ton voyage d'études dans le Berry ?

Caroline n'eut pas l'ombre d'un sourire. Elle passa un bras amical autour des épaules de son amie et l'écouta sans l'interrompre. Quand Clara eut achevé son récit, elle se contenta de hocher la tête et murmura comme pour elle-même.

— Baphomet...

Puis, retrouvant sa vivacité habituelle, elle demanda :

— Leur as-tu expliqué ?

— Non, pas encore.

— C'est par là qu'il fallait commencer.

— Mais comment pourraient-ils me croire ?

— Je m'en charge. Il est temps d'ébranler l'étroit rationalisme de ces têtes médicales.

Clara la vit s'éloigner à grands pas vers la porte des visiteurs de la salle de réanimation. Lorsqu'elle revint vers François, elle aperçut Caroline enchapeautée et masquée qui lui adressait un clin d'œil par la lucarne.

Intellectuel lunaire, mal à l'aise dès qu'on le sortait de ses livres, François essayait de tromper l'attente de Clara avec des mots maladroits.

— Je suis vraiment désolé de ce qui vous arrive.

Il en ignorait la première phrase.

— Mais il faut avoir confiance. Tout ceci ne sera plus qu'un mauvais souvenir, bientôt.

Il cherchait une nouvelle inspiration qui aurait pu être inscrite au plafond.

— Lorsque Caroline prend les choses en mains, tout s'arrange.

A ses yeux Caroline était pourvue de tous les dons et

à l'entendre elle faisait même preuve de compétences médicales.

— C'est une fille épatante, n'est-ce pas ?

Excédée Clara répondit :

— Oui, épousez-la !

— Vous croyez qu'elle accepterait ?

— Sûrement.

Se rendait-il seulement compte du lieu où ils se trouvaient. Avait-il conscience que derrière ce mur de silence des vies se jouaient ?

Caroline ressortit, arrachant blouse, masque, bonnet et pestant contre les bottes qui entravaient sa marche. Elle se laissa tomber sur la banquette poussant un « ouf » de soulagement. Mais, à en juger par ses mimiques, il lui avait fallu longuement batailler.

— Alors ? demanda Clara, impatiente.

— Des imbéciles ! Mais enfin, il y a un fou à Rouen qui après vingt années d'exercice en Afrique est rentré au bercail pour se consacrer à des recherches qui ont l'air de beaucoup les amuser. Bref, je les ai quand même convaincus de le faire venir.

— Caroline, comment pourrais-je...

Sensible sous ses allures de garçon manqué, Caroline redoutait, plus que tout au monde, les effusions et les gestes de reconnaissance.

— Attends qu'il soit tiré d'affaire.

— Est-ce que tu penses ? demanda-t-elle d'une voix brusquement brisée.

Caroline haussa les épaules, évasive. Puis, se rapprochant de Clara, elle lui murmura à l'oreille :

— Dans tous les cas ton honneur sera sauf. J'ai légèrement modifié ton récit et j'ai fait d'Enguerrand l'unique et innocente victime.

Elle serra sa main. Elle ne pouvait lui exprimer autrement sa gratitude. Caroline lui décocha un brusque coup de coude entre les côtes.

— J'ai l'impression que la mégère arrive.

Clara tourna la tête et reconnut M$^{me}$ d'Ermont.

138

— Où est-il? cria-t-elle d'une voix perçante tout en martelant le sol de sa canne qu'elle leva brusquement, la pointant sur Clara en guise d'index vengeur.

— Ah, vous... si jamais... il vous en cuira.

Caroline se leva.

— Oui, madame, vous appellerez à la rescousse vos valets pour qu'ils lui administrent une sévère bastonnade.

Doucement, elle la fit pivoter sur elle-même.

— Mais de quel droit? s'étrangla la vieille femme.

— Je crois qu'il vous faut d'abord remplir quelques démarches administratives. Clara va vous accompagner. De toute manière personne n'est autorisé à voir votre neveu pour le moment.

Elle fit un signe de tête à Clara qui les rejoignit.

— Tiens, ton passeport, souffla-t-elle en lui glissant un étui bleu. Et bonne chance.

La jeune fille refit le chemin qui l'avait conduite des urgences à la salle de réanimation en sens inverse, subissant les imprécations de l'irascible tante qu'une Victorine essouflée essayait vainement de calmer. Aucune d'entre elles ne prêta attention à un homme grand et sec au visage buriné qui les croisa, guidé par une infirmière.

# 13

— Je suis la comtesse d'Ermont, monsieur, et je me porte garante que cet homme est bien mon neveu, tempêtait le « dragon ».

— Je veux bien vous croire, madame la comtesse — l'employé des admissions appuya avec ironie sur le titre — mais il me faut des papiers.

La comtesse agita ses longs voiles de deuil.

— Monsieur, quand un homme a erré pendant cinq ans dans l'enfer vert de l'Amazonie, échappant aux piranhas, aux tribus cannibales, aux serpents, aux animaux sauvages, pensez-vous qu'il ait songé à préserver plus précieusement que sa vie sa carte de sécurité sociale ?

— Bien sûr, madame la comtesse, mais moi je dois remplir mes formulaires et eux ne se préoccupent pas des piranhas.

— Monsieur, ma garantie vaut tous les papiers et les formulaires.

— Oui, mais il me faut le numéro d'identification sociale... C'est pour le remboursement...

— Qui se soucie de remboursement ? Les comtes d'Ermont ont-ils jamais été des assistés ? Dans quel monde vivons-nous !

Clara essaya de s'interposer.

— Ah, la paix ! s'exclama la comtesse, levant la main comme si elle s'apprêtait à chasser une mouche d'un coup sec d'éventail.

A ce moment, elle aperçut Caroline qui courait vers elle. Elle blêmit, se préparant au pire, intérieurement raidie, prête à voir basculer l'univers dans l'anéantissement de celui qu'elle aimait.

— Vite, on a besoin de toi, souffla Caroline entraînant déjà son amie.

— Attendez-moi, cria la tante d'Enguerrand. Eh bien, Victorine, en route, aidez-moi !

— Et alors qu'est-ce que je fais, s'exclama l'employé agitant les bras au-dessus de sa machine à écrire et du formulaire inachevé.

— Allez au diable et que la peste soit de vous et de tous vos semblables, lui lança la comtesse indignée qui, heureusement, ne vit pas l'homme se taper la tempe de l'index dans un geste tout à fait significatif.

— Que se passe-t-il ? demanda Clara tout en courant vers la salle de réanimation.

— Le docteur Lambert est arrivé de Rouen. Il a examiné Enguerrand. Il veut te voir.

— Est-ce tout ce qu'il a dit ?

Elle tentait de déceler la moindre lueur de mensonge dans le regard de Caroline.

— Oui. Mais j'ai bon espoir.

Cette phrase insuffla une énergie nouvelle à la jeune fille.

Enguerrand reposait sur un lit, un simple drap bordé jusqu'à mi-torse le couvrait. Ses blessures avaient été bandées. Son visage calme évoquait plus que jamais celui des gisants médiévaux. Le corps médical s'était rassemblé en demi-cercle autour du lit. Ils observaient un homme grand et sec au visage buriné qui avait décliné l'uniforme bleu et stérilisé. Celui-ci se tenait près d'Enguerrand. De ses longs doigts maigres, il touchait des points précis du front, des globes oculaires, du cou. Il n'y avait pas la moindre hésitation dans ses gestes. Aussi dissemblable que possible de l'idée que l'on pouvait se faire d'un sorcier, il agissait en médecin.

A l'entrée de Clara, il leva la tête.

— Approchez-vous, mon petit.

La douceur de sa voix contrastait étrangement avec sa physionomie. Clara s'exécuta. Elle se laissa faire lorsqu'il répéta sur elle les mêmes gestes que sur Enguerrand. Elle ne ressentit aucun trouble. Au contraire, toute fatigue, toute angoisse la fuirent en un instant pour faire place à un calme profond, si serein qu'elle en éprouva une sensation de plaisir.

Puis il posa sa main droite sur le front de Clara et la gauche sur celui d'Enguerrand. Instinctivement, elle ferma les yeux.

— C'est bien, murmura-t-il.

Il l'entraîna dans le couloir. Elle n'eut aucune envie de lui poser la question qui lui aurait brûlé les lèvres face à n'importe quel autre praticien.

— Avez-vous déjà vu cette statuette ?

Elle fit oui de la tête.

— Vous rappelez-vous dans quelles circonstances ?

Comment aurait-elle pu oublier ? Ces hommes nus, ceints d'une seule corde. Ces gémissements et le muscle qui jouait sur la joue de Guillaume.

— Je vais vous demander de vous concentrer le plus possible, de revivre cette scène. Quoi que vous ressentiez, quoi qu'il arrive, ne vous laissez pas distraire. Croyez-vous que vous en serez capable ?

De nouveau elle hocha la tête.

— Alors, allons-y !

Ils retournèrent dans la chambre. Il plaça Clara près du lit et unit sa main à celle d'Enguerrand.

— Fermez les yeux maintenant. Vous êtes dans la chapelle, il y a la statuette...

La voix s'adoucissait à chaque mot. Elle n'était plus qu'un murmure insinuant les images dans son esprit. Elle sentit qu'une main avait recouvert sa tête. Un frisson parcourut son épine dorsale, remonta le long de sa nuque et irradia son cuir chevelu. Elle eut l'impression que ses cheveux se dressaient sur sa tête. Alors les images se précipitèrent.

Elle n'était plus dans le service de réanimation de l'hôpital. Son esprit flottait en dehors de son corps et elle l'apercevait de l'extérieur, prenant la Vierge des mains du trop onctueux antiquaire. Elle dominait une nef gothique majestueuse. Et voilà que son corps lui-même disparaissait. Une figure hideuse se rapprochait. Elle en distinguait tous les détails, grossis comme au travers d'une loupe. Les crins englués sur le torse disproportionné. Le rictus du mufle animal, plus sombre que le reste de l'effigie. Elle savait ce qui le rendait si noir : du sang séché. Plus près encore. Elle regardait la statuette, la fixant dans les yeux, comme si une vie avait pu répondre dans ce bois sculpté par une main d'homme. Quelque chose brilla dans les fentes cruelles. Elle se sentait attirée en arrière mais elle résistait. Tout se passait comme si elle avait voulu transmettre son regard à celui de Baphomet. Soudain, un éclair l'aveugla. Un cri horrible vrilla sa tête. Une clameur extraordinaire l'enveloppa. Des chants phéniciens, des gémissements s'accroissant en halètements, des éclats païens de joie, des hurlements d'effroi, certains aigus, d'autres rauques.

Elle tournoyait dans un puits sans fond, la tête en bas. Elle tournoyait, échevelée, portée par des bras d'hommes. Tout autour d'elle, il y avait la chaleur des flammes, des grésillements de poudre d'or jaillissant dans des gerbes magnifiques et éphémères. Elle sentait des parfums barbares de musc et de sueur mêlés. Des femmes, des hommes nus, le corps luisant, le cou orné de colliers de fleurs ou de plaques de bronze, dansaient sauvagement, s'unissaient avec violence, s'enivraient. Puis de nouveau la clameur monta et Baphomet se dressa gigantesque. Ses yeux ! Fixer de nouveau ses yeux. Ils étaient effroyables, expression de toute la haine et de toute la luxure de la terre. Mais elle ne reculait pas. Le monstre s'animait. Elle sentait son souffle brûlant. Ses bras décharnés aux mains griffues s'écartaient pour la saisir. Et, soudain le monstre vacilla. Clara errait dans la nuit.

— C'est fini, mon petit.

Cette voix si douce ? Lentement la jeune fille ouvrit les yeux. Elle battit des paupières et découvrit la chambre d'hôpital, les hommes en bleu. Elle se sentait si vieille, surgie de la nuit des temps. Elle tenait une main. Elle se tourna pour voir à qui elle appartenait. Le visage tourné vers elle, Enguerrand lui souriait. Ils ne se dirent rien. Le silence leur suffisait pour communier. Les médecins se retirèrent ne sachant que penser. Le docteur Lambert fermait la marche. Avant de sortir, il s'adressa à Clara.

— Lorsque vous en aurez le temps, venez me voir.

Et la porte se referma sur l'amour d'Enguerrand et de Clara.

A peu près à la même heure, les habitants d'un village proche de Nemours furent réveillés en sursaut par une formidable déflagration. En quelques minutes, les portes, les fenêtres des maisons s'ouvrirent, laissant le passage à des hommes en robe de chambre, à des femmes enveloppées dans des châles qui, tremblants et incapables de réagir, regardaient monter dans le ciel une haute torsade de flammes crépitantes.

— Ça vient de la commanderie.

— Je t'avais toujours dit que ces hommes qui venaient faire retraite avaient l'air bizarre.

— La malédiction des Templiers, chuchota une femme qui aussitôt se signa.

— Ne dis pas de bêtises, répliqua vertement un gros homme rougeaud.

— Mais qu'est-ce qu'ils ont bien pu entreposer pour provoquer une pareille explosion ?

— Il faut prévenir la préfecture. Le feu risque de gagner la forêt.

Toute la nuit, des pompiers appelés de tout le département, des bénévoles luttèrent contre les flammes. A un moment, le capitaine qui commandait les opérations ôta son casque et essuya son visage noirci.

— J'ai l'impression que cette nuit j'ai eu une vision de ce que doit être le feu de l'enfer.

Lorsque l'aube violette se leva, les fumées des décombres se mêlaient aux brumes de la forêt. Il ne restait plus rien de l'ancienne commanderie. Des ruines calcinées, on dégagea quelques corps méconnaissables. Les pompiers s'étonnèrent en découvrants d'étranges instruments de fer. Et les langues allèrent bon train dans le village où se réveillaient les histoires du temps des croisades.

Clara venait de quitter Enguerrand. Il dormait, apaisé. Dans le couloir du service de réanimation, Caroline l'attendait, très excitée, brandissant un journal.

— Regarde !

Sur la première page un titre s'étalait sur quatre colonnes. « Un mystérieux incendie a détruit une commanderie de Templiers datant du XIII$^e$ siècle. » Le journaliste relatait l'explosion, l'enquête qui n'avait pu encore en déterminer les causes exactes et achevait son article en regrettant que le patrimoine français ait perdu un nouveau fleuron.

— C'est ce qu'on appelle l'effet de boomerang, commenta-t-elle.

— L'effet de…

— Oui, le sort qui se retourne contre celui qui l'a proféré. Au fait, François m'a demandée en mariage. Drôle de garçon ! Je pensais qu'il ignorait jusqu'à mon existence terrestre.

Des clameurs de protestations et des ripostes outrées détournèrent leur attention.

— Comment cela, me stériliser ? Croyez-vous, mademoiselle, qu'à mon âge on puisse être encore porteur d'un quelconque germe ?

Clara et Caroline pouffèrent. La vieille comtesse d'Ermont n'avait pas fini de sévir.

— Enfin, puisque nous avons subi la Révolution, l'émigration, la République et la sécurité sociale, résignons-nous à ce nouvel outrage. Et, mademoiselle, je vous prie, veuillez également stériliser ma canne... Si, si j'y tiens absolument. Pas de demi-mesure et exécution.

Le calme revint et soudain un formidable éclat de rire éclata dans le service de réanimation. Clara se jeta dans les bras de Caroline. Elle riait et pleurait tout à la fois.

— Tu l'as entendu ? Il est bien vivant. Vivant !

— Chut ! lui souffla son amie.

La porte venait de s'ouvrir sur la comtesse d'Ermont, empêtrée dans ses longs voiles et sa blouse de papier, hurlant d'une voix étouffée dans son masque.

— Mademoiselle Ilios, vous m'avez ridiculisée. Je retrouve mon neveu que je croyais mort. Et après toutes ces années passées chez les sauvages sa seule réaction est de me rire au nez.

— C'est une réaction nerveuse, madame.

— Réaction nerveuse... pfuit ! Et elle appela d'une voix de stentor : Victorine !


— Mademoiselle Ilios.

Clara se retourna et reconnut le jeune interne qui l'avait si désagréablement accueillie la veille.

— M. d'Ermont est tout à fait rétabli. Il pourra sortir à midi. Pour les formalités... euh... je me débrouillerai avec l'administrateur.

— Et la police ?

Il haussa les épaules, s'éloigna puis se frappa le front en faisant volte-face.

— Le docteur Lambert vous attend au buffet de la gare.


L'étrange médecin plus ou moins réprouvé par ses confrères mais néanmoins admiré, du moins depuis la nuit dernière, même si on ne l'avouait pas, observait avec attention la jeune fille qui lui faisait face. Elle avait achevé le récit de ce qu'elle avait vu, ressenti, lorsqu'il lui avait demandé de se concentrer sur Baphomet. Elle mordait dans un croissant qui s'émiettait au-dessus d'une grande tasse de chocolat. C'est à peine si on devinait quelques traces de fatigue sur son beau visage régulier. Elle avait une sorte de transparence rayonnante.

— Le reflet de son âme, certainement, pensa le médecin.

Il ne cessait de s'étonner de ce qu'elle lui avait dit. Il semblait qu'en se concentrant sur Baphomet elle ait remonté tout le cours de son histoire depuis l'origine de son premier culte aux temps éloignés où la Phénicie, grande nation marchande, exportait et importait les denrées, les matières précieuses et les dieux. Il semblait aussi qu'elle ne s'était pas contenté de rejeter la malédiction reposant sur un homme mais qu'elle avait également aboli toute la puissance de l'idole et pour tous les temps. Quant à l'incendie de la commanderie, ce n'était pas là le moins remarquable.

Le docteur Lambert, au cours de son exercice en Afrique, avait assisté à bien des phénomènes, des manifestations qui échappaient totalement à l'entendement des Européens, mais ce matin il avait la certitude de se trouver attablé face à ce que l'on pourrait appeler un médium d'une qualité exceptionnelle. Il s'en ouvrit à Clara. Elle se contenta de sourire.

— Non, docteur, je vous assure je n'ai jamais rien ressenti de particulier si ce n'est les intuitions que n'importe qui peut avoir. Je dois même vous avouer qu'avant cette aventure j'étais parfaitement incrédule en la matière.

— Mais alors comment expliquer…

Son regard flotta. Elle semblait apercevoir une scène visible d'elle seule.

— Mon père était chypriote, chypriote grec, précisa-t-elle, et un jour, oh, il y a si longtemps ! quelqu'un m'a dit que mon nom était très révélateur. Seul un Templier cherchant à se cacher après la dispersion de son ordre et toutes les persécutions dont ses frères firent l'objet pouvait avoir eu l'idée de changer son nom pour celui d'Ilios. Ilios, le soleil, celui qui donne la vie, la chaleur, les fruits de la terre... c'est peut-être là votre explication.

Le médecin hocha la tête.

— Peut-être !

Il demeura songeur.

— Si vous passez à Rouen, voici ma carte. Venez me voir. J'aimerais parler de tout cela avec vous, en reparler, vous m'aideriez à faire progresser mes travaux.

Elle secoua la tête.

— J'aimerais vous être agréable. Je vous suis tellement reconnaissante de ce que vous avez fait mais je préfère tout oublier. Enguerrand a besoin de renaître et je dois l'y aider. Vous comprenez, n'est-ce pas ?

Oui, il comprenait mais il le regrettait. Comme si elle avait deviné ses pensées, elle ajouta :

— Après tout, il n'y a peut-être rien qui soit très sorcier. Tout cela est arrivé parce que j'aime Enguerrand. L'amour est comme le soleil, il est la vie et il la donne.

Longtemps, il la suivit du regard, silhouette frêle et légère qui traversait la place dans ces matins pâles de Normandie. Il se demanda si elle n'était pas la véritable énigme de cette histoire et si, avec sa simplicité habituelle, elle ne lui en avait pas livré la clé : « L'amour comme le soleil donne la vie. »

# ÉPILOGUE

Ils avaient dépassé la vieille ville fortifiée par les Byzantins, renforcée par les Turcs. Les dernières maisons de la Nicosie moderne s'éloignaient derrière eux et ils avançaient vers la magnifique masse bleue des montagnes.

— L'île de la montagne bleue, murmura-t-il la serrant contre lui, on croirait presque un titre de conte de fées.

Clara ne répondit pas, elle se laissa seulement aller un peu plus contre son épaule, s'enivrant de son odeur, de la chaleur de son corps. Elle savait tout ce qu'il voulait exprimer dans cette phrase simple et elle était pleinement heureuse, si heureuse qu'elle se demandait si elle pourrait connaître de nouveau pareil sentiment si pur, si haut.

Enguerrand était guéri. Le soleil de la Méditerranée avait achevé de faire disparaître les dernières tâches brunes de ses cicatrices. Mais il y avait plus important, il avait chassé toutes les ombres de son âme. C'est à peine s'il avait le souvenir d'un enfant élevé dans un manoir obscur, d'un adolescent soumis à la rude discipline des Jésuites. Le comte d'Ermont était mort quelque part en Amazonie à moins que ce ne fût dans quelque incendie d'une commanderie où régnait un implacable grand-maître.

Elle avait dit au docteur Lambert : « Enguerrand doit renaître. » Et, face aux montagnes, tandis qu'il la caressait tendrement d'infimes baisers déposés du bout des lèvres sur son visage, elle se rappelait chaque étape de ce retour à la vie. Ses hésitations d'abord.

— Je ne suis pas digne de toi, avait-il commencé par dire.

Elle n'avait pas protesté, sachant pertinemment dans sa sagesse innée de femme qu'il ne sert à rien de forcer les convictions de celui qui n'est pas prêt à vous entendre.

Puis il y avait eu toutes les démarches administratives. Prouver qu'il avait bien erré pendant cinq ans en Amazonie et qui aurait pu le contredire ? Quelques Indiens Chibchas ! Seules deux personnes connaissaient la vérité : Clara et Caroline. Et l'une et l'autre se tairaient à jamais. Et tout ce temps, elle s'était tenue à ses côtés. Parfois il semblait prêt de craquer. Il voulait tout dire, tout avouer.

— Ne suis-je pas coupable ? Ne dois-je pas payer ?
Elle lui répondait alors :

— Est-il coupable celui qui a souffert et qui souffre ? A quoi bon la justice des hommes si celui qui a péché se châtie lui-même chaque jour dans les souvenirs de ses erreurs passées ?

— Quelle étrange morale ?

— C'est un jury que tu désires !

Elle s'était dressée devant lui, la mine sévère.

— Bien, je vais te juger. Tu as agi dans un état second, donc tu n'étais pas responsable. Je déclare l'accusé non coupable. Par ailleurs certains faits plaident en sa faveur. Au mépris de sa vie, il a sauvé celle de M$^{lle}$ Ilios. Enguerrand d'Ermont, vous êtes acquitté.

Il l'avait prise dans ses bras, si fort qu'il l'étouffait, si fort qu'il cherchait à étouffer quelque chose en lui. Et elle devinait que c'était encore une pointe de souvenirs. Alors, elle avait décidé :

— L'hiver est trop triste ici. Ailleurs c'est déjà le printemps, presque l'été. Partons.

Sous son regard attentif, il avait commencé à se

détendre au soleil. Puis, de lui-même, il avait pris l'habitude de se balader paresseusement, se laissant envahir par les infimes détails de la vie, les couleurs du marché, les cris des enfants, le regard quémandeur d'un chien qui se couche à vos pieds...

Il y avait eu cette nuit enfin. Il ne l'avait pas prise avec cette violence d'exorcisme. Il l'avait caressée longuement, l'avait attendue, calme, à l'écoute de son corps de femme, et ils s'étaient retrouvés et trouvés dans une douceur si infinie qu'elle était devenue vertige. Lorsqu'il s'était tourné vers elle, encore haletante, il l'avait entourée de ses bras. Elle était demeurée les yeux clos. Elle savait.

Elle savait, bien avant que, s'étirant sur le pas de leur porte il lui déclare : « et si nous vivions ici », qu'il était guéri. Enguerrand d'Ermont ne connaîtrait plus jamais ces nuits traversées de cauchemars. Il ne se sentirait plus jamais redevable envers Clara. Ils étaient désormais à égalité, un homme et une femme associés pour le meilleur et le pire.

L'amour et le soleil !

## COMMENT AVOIR PLUS DE MÉMOIRE

Quel outil indispensable et quel bien précieux que la mémoire!

Le docteur Jacqueline RENAUD, éminent spécialiste international de la mnémotechnie, vous livre ici toutes les clés de la mémoire. Dans un style à la fois clair, simple et précis, elle explique ce qu'est la mémoire, comment s'en servir et comment la développer.

Vous apprendrez ainsi l'évolution de la mémoire de la naissance à la mort, les multiples façons de l'utiliser (mémoire à court terme, à long terme), les leçons à tirer des maladies de mémoire (amnésies, oublis), sa place dans le cerveau, les diverses méthodes pour la conserver et la développer — toute une série de tests vous aident à cet effet à apprécier vous-même votre mémoire ou celle de vos proches.

COMMENT AVOIR PLUS DE MÉMOIRE du docteur Jacqueline RENAUD est donc à la fois un outil de culture générale et un instrument pratique d'éducation de soi-même. Il permet en outre aux parents d'aider leurs enfants — ou eux-mêmes — à "savoir comment apprendre". C'est un livre pratique, facile à comprendre, utile, à posséder absolument.

**Un volume de 200 pages 5 x 8 — $6.95.**

## COMMENT NE PLUS ÊTRE TIMIDE

Le mot "timidité" recouvre en fait toute une série de malaises allant du manque d'assurance à la difficulté de communiquer avec les autres. Cause d'échecs sentimentaux et professionnels, elle peut mener au désespoir ou aux perversions.

Le docteur Jacqueline RENAUD a utilisé les applications modernes de la psychologie du comportement, et sa longue expérience de psychothérapeute, pour proposer un véritable "mode d'emploi de soi-même" qui déborde largement la question de la timidité. Ce livre, en effet, est un itinéraire qui, en plusieurs "séances", et avec de nombreux tests, vous entraine vers la connaissance de votre personnalité, de votre forme de timidité, puis dans la pratique d'exercices qui peuvent transformer votre vie.

Instrument pour s'apprendre à mieux vivre, il offre aux parents de nombreux moyens d'aider leurs enfants à affronter l'avenir avec confiance.

**Un volume de 290 pages 5 x 8 — $7.95.**

# LES RICHES SONT DIFFÉRENTS

Paul, le richissime banquier américain. Dinah, la jeune Anglaise pauvre et ambitieuse... Un homme, une femme qui dominent cette histoire couleur d'amour et d'or. Couleur de sang, aussi.

Entre la très vieille Europe et l'Amérique encore jeune, sur un fond d'événements qui bouleversent le monde — la Grande Dépression, la Seconde Guerre mondiale — se déroule une tapisserie aussi longue que la "Tapisserie de Bayeux", aussi somptueuse que la "Dame à la Licorne"; une tapisserie aux multiples personnages: les jeunes et les moins jeunes, les doux et les violents, les avides et les désintéressés, les purs et les retors ..., tous pris dans un maelström de passions, tous dominés par la complexe figure de Paul, manipulateur de marionnettes et marionnette lui-même, manipulé dès son enfance par un rude ennemi: l'impitoyable maladie.

Certains meurent, d'autres naissent. L'influence de ceux-là se prolonge dans la vie de ceux-ci. On songe à la tragédie grecque, où la vengeance des dieux se poursuivait d'une génération à l'autre ...

Et, sans jamais se perdre parmi les fils savamment entrecroisés de son ouvrage, Susan Howatch, dont on n'a pas oublié le "Penmarric", mène, cette fois encore, la ronde de ses personnages autour d'une ancestrale demeure: Mallingham.

**Un volume de 608 pages format 6 1/8 x 9 1/2 — $16.95**

## MISSISSIPPI

Est-il possible, vers 1860, à une jeune quarteronne, belle et blanche, de se libérer des traditions qui la tiennent à l'écart du monde des blancs, sans quitter la Louisiane pour gagner un Etat antiesclavagiste du nord des Etats-Unis?

C'est à travers mille et une aventures bouleversantes que Leah, notre héroïne, trouvera la réponse à cette question. Une réponse qui l'obligera à choisir entre Baptiste Fontaine, le créole qui a été son amant et qu'elle aime, et James Andrews, l'homme du Nord qui lui promet un monde libre.

Mais à travers la vie de Leah, on découvre aussi les coutumes de la riche société créole nourrie de culture franco-espagnole, les mystérieux rites vaudous pratiqués par les noirs dans les bayous, la vie haute en couleur du Vieux Carré, le quartier français de La Nouvelle-Orléans, et les affres de ce grand port du Sud profond, en proie épidémie de fièvre jaune sans précédent, puis aux déchaînements de l'implacable Guerre de Sécession de la lourde occupation par les Yankees.

Une fresque haute en couleur, surtout un grand roman d'amour dans le cadre de cette Louisiane que les Français réapprennent à connaître.

**Un volume de 288 pages format 6 1/8 x 9 1/2 — $11.95**

Achevé d'imprimer
en mai mil neuf cent quatre-vingt-deux
sur les presses de l'Imprimerie Gagné Ltée
Louiseville - Montréal.
Imprimé au Canada